Ludzie partii

idealiści czy pragmatycy?

Ludzie partii

idealiści czy pragmatycy?

Kadry partyjne
w świetle badań empirycznych

redakcja naukowa
Anna Pacześniak · Jean-Michel De Waele

Wydawnictwo Naukowe SCHOLAR
Warszawa 2011

Recenzent: prof. dr hab. Ryszard Herbut

Projekt okładki i stron tytułowych: Katarzyna Juras

Na okładce wykorzystano grafikę Tino Magera, pochodzącą z banku zdjęć Fotolia: http://pl.fotolia.com

Redakcja i korekta: Zofia Kozik

ISBN 978-83-7383-447-7

Wydanie publikacji zostało dofinansowane przez Wydział Nauk Społecznych Uniwersytetu Wrocławskiego oraz Wolny Uniwersytet w Brukseli

Wydawnictwo Naukowe Scholar Spółka z o.o.
ul. Krakowskie Przedmieście 62, 00-322 Warszawa
tel./faks 22 826 59 21, 22 828 95 63, 22 828 93 91
dział handlowy: jak wyżej, w. 105, 108
e-mail: info@scholar.com.pl; scholar@neostrada.pl
http://www.scholar.com.pl

Wydanie pierwsze
Skład i łamanie: WN Scholar (*Stanisław Beczek*)
Druk i oprawa: Zakład Poligraficzno-Wydawniczy POZKAL, Inowrocław

Spis treści

Anna Pacześniak, Jean-Michel De Waele
Mikrokosmos partii jako *terra incognita* 11
   Wprowadzenie 11

Michał Jacuński
Dojrzali, wykształceni i religijni: partyjne kadry z profilu 25
   Metoda badawcza 27
   Struktura wiekowa 27
   Miejsce zamieszkania 29
   Płeć uczestników badania 30
   Struktura wykształcenia 31
   Struktura zawodowa 32
   Uczestnictwo w organizacjach społecznych i politycznych . . 37
   Wcześniejsza przynależność partyjna 38
   Struktura wyznaniowa 41
   Podsumowanie 43

Maïté Leroy
Między neoliberalizmem a „trzecią drogą":
poglądy społeczno-ekonomiczne w PO i SLD 46
   Metoda badań 49
   Poglądy delegatów na tematy społeczno-ekonomiczne 50
   Zbieżność i spójność wewnętrzna poglądów delegatów partii
   w sprawach społeczno-gospodarczych 57
   Działania i sympatie polityczne 60
   Podsumowanie 64

Anna Pacześniak
Konserwatyzm z prawa i lewa:
system wartości partyjnych kadr 66
   Relacje państwo–Kościół 70
   Kwestie społeczno-obyczajowe 73
   Stosunek do mniejszości i „inności" 79
   Kontrakt płci 84
   Podsumowanie 85

6

Michał Jacuński

Aktywista partyjny jako bierny obserwator, czyli kadry średniego
szczebla wobec partii i jej kierownictwa 89
Zaangażowanie w życie partii 91
Oczekiwania wobec kierownictwa partii 96
Charakterystyka partii w oczach kadr partyjnych 100
Priorytety polityczne partii 108
Podsumowanie 110

Jean-Michel De Waele

Działacze partyjni w Bułgarii i Rumunii:
tło do polskiej analizy 112
Bułgarska Partia Socjalistyczna (PSB) 113
Partia Narodowo-Liberalna (PNL) 115
Partia Demokratyczno-Liberalna (PDL) 116
Węgierska Unia Demokratyczna w Rumunii (UDMR) 118
Delegaci Bułgarskiej Partii Socjalistycznej 119
Delegaci rumuńskiej Partii Narodowo-Liberalnej 127
Delegaci rumuńskiej Partii Demokratyczno-Liberalnej 131
Delegaci Węgierskiej Unii Demokratycznej
w Rumunii (UDMR) 133
Podsumowanie 136

Anna Pacześniak, Jean-Michel De Waele

Pragmatyzm wygrywa z ideologią – konkluzje 138

Aneks
Kwestionariusz wypełniany przez delegatów na zjazdy
wojewódzkie Sojuszu Lewicy Demokratycznej 146
Kwestionariusz wypełniany przez uczestników
rad regionalnych Platformy Obywatelskiej 159

Bibliografia 172

Noty o autorach 180

Spis tabel

Tabela 1. Aktywność zawodowa kadr partyjnych 32
Tabela 2. Powiązanie wykonywanej pracy z polityką 34
Tabela 3. Funkcje publiczne pełnione przez działaczy partii . . 35
Tabela 4. Rodzaje funkcji publicznych pełnionych przez delegatów
PO i SLD 36
Tabela 5. Przynależność działaczy partyjnych do związków
zawodowych 38
Tabela 6. Wcześniejsza przynależność do innych partii
politycznych 39
Tabela 7. Przynależność działaczy partyjnych do PZPR
lub NSZZ „S" przed 1989 r. 41
Tabela 8. Częstotliwość uczestniczenia w praktykach religijnych 43
Tabela 9. Działacze PO i SLD wobec interwencjonizmu
gospodarczego państwa 51
Tabela 10. Działacze PO i SLD wobec zmniejszenia różnic
w zarobkach obywateli 52
Tabela 11. Działacze partyjni wobec wpływu związków
zawodowych na kwestie ekonomiczne i społeczne . . 53
Tabela 12. Działacze partyjni wobec kwestii wprowadzenia
podatku liniowego 54
Tabela 13. Poglądy działaczy partyjnych na uzależnienie
wysokości zasiłków od wysokości dochodów 55
Tabela 14. Działacze partyjni wobec kwestii pracy tymczasowej
jako sposobu walki z bezrobociem 56
Tabela 15. Wprowadzenie pracy tymczasowej jako sposobu
na walkę z bezrobociem 57
Tabela 16. Opinie w PO i SLD na temat roli Kościoła w sferze
publicznej 72
Tabela 17. Stosunek do kwestii społeczno-obyczajowych
w PO i SLD 75
Tabela 18. Homoseksualizm według działaczy PO i SLD 81
Tabela 19. Stosunek do osób innej narodowości w SLD i PO . . 83
Tabela 20. Relacje między kobietami i mężczyznami w sferze
publicznej i prywatnej 85
Tabela 21. Określenia nadane partii przez kadry średniego szczebla
PO 98

Tabela 22. Określenia nadane partii przez kadry średniego szczebla
SLD 98
Tabela 23. Postawy członków PO względem własnej partii, jej
kierownictwa oraz podmiotów współpracujących . . 104
Tabela 24. Postawy członków SLD względem własnej partii, jej
kierownictwa oraz podmiotów współpracujących . . 106
Tabela 25. Priorytety PO 108
Tabela 26. Priorytety SLD 109

Spis rycin

Rycina 1. Struktura wiekowa działaczy partyjnych 28
Rycina 2. Miejsce zamieszkania działaczy partyjnych 29
Rycina 3. Struktura płci uczestników kongresów partyjnych . . 30
Rycina 4. Struktura wykształcenia działaczy partyjnych 31
Rycina 5. Porównanie struktur partii pod względem
          wykonywanych zawodów 33
Rycina 6. Najważniejsze powody wstąpienia do partii 37
Rycina 7. Wierzący i niewierzący wśród kadr PO i SLD 42
Rycina 8. Odsetek działaczy o poglądach lewicowych
          i prawicowych w SLD i PO 59
Rycina 9. Główne cele określone przez delegatów SLD i PO . . 60
Rycina 10. Opinie działaczy PO na temat elektoratu bliskiego
          ich partii oraz potencjalnego koalicjanta 62
Rycina 11. Opinie działaczy SLD na temat elektoratu bliskiego
          ich partii oraz potencjalnego koalicjanta 63
Rycina 12. Sympatie działaczy SLD i PO do innych partii 63
Rycina 13. Elektoraty parlamentarnych ugrupowań politycznych
          na osiach podziałów politycznych 87
Rycina 14. Uczestnictwo w zebraniach miejskich/lokalnych struktur
          partyjnych 92
Rycina 15. Kontakty członków SLD oraz PO z partią 93
Rycina 16. Ilość czasu poświęcana partii w miesiącu przez jej
          działaczy 94
Rycina 17. Regiony według największej aktywności
          działaczy PO 95
Rycina 18. Regiony według największej aktywności
          działaczy SLD 95
Rycina 19. Obowiązki kierownictwa partii wobec jej członków . 99

Anna Pacześniak, Jean-Michel De Waele

Mikrokosmos partii jako *terra incognita*

Wprowadzenie

Poziom członkostwa Polaków w partiach politycznych jest najniższy w Europie i ledwo przekracza 1% dorosłych obywateli. Spadek liczebności szeregów partyjnych to zjawisko obserwowane w większości europejskich demokracji. W Austrii, w której odsetek obywateli należących do partii zawsze był najwyższy, upartyjnienie spadło z poziomu 33% (średnia dla lat 1950–1980) do 17,66% w 1999 r.[1] Najwięcej osób – w liczbach bezwzględnych – porzuciło swoje partie we Włoszech i Francji, gdzie w ciągu ostatnich dwóch dekad XX w. w pierwszym przypadku ubyło ponad 2 mln, w drugim zaś ponad milion osób[2]. W młodych demokracjach Europy Środkowo-Wschodniej członkostwo w partiach politycznych od początku okresu transformacji nie przekraczało kilku procent i nic nie wskazuje na to, by w przewidywalnym czasie trend ten miał się odwrócić. Czy jest powód do niepokoju? Odpowiedź zależy od poglądów osoby pytanej. Zwolennik liberalnej koncepcji demokracji podkreśli, że partycypacja polityczna, w tym członkostwo partyjne, jest jedynie środkiem, a nie celem samym w sobie, dlatego nie będzie widział potrzeby zwiększania jej zakresu. Nie zgodzi się z nim zwolennik partycypacyjnej koncepcji demokracji, dla którego wysoki poziom zaangażowania w polityce, w tym upartyjnienia obywateli, jest niezbędny do właściwego funkcjonowania systemu. Niski poziom aktywności świadczy w jego oczach o relatywnej słabości organizacyjnej partii politycznych i demokracji jako takiej.

---

[1] W. Sokół, M. Żmigrodzki (red.), *Współczesne partie i systemy partyjne: Zagadnienia teorii i praktyki politycznej*, Wydawnictwo Uniwersytetu Marii Curie-Skłodowskiej, Lublin 2005, s. 134–135.

[2] P. Mair, I. Biezen, *Party membership in twenty European democracies. 1980–2000*, „Party Politics", vol. 7, 2001, s. 5–22.

W Polsce ludzie nie tylko nie chcą zapisywać się do partii politycznych, lecz także nie mają do nich zaufania. Badania Eurobarometru
z jesieni 2006 r. pokazały, że jedynie 7% Polaków ufa jakiejś partii (średnia europejska wynosi 17%)[3]. Z sondaży Centrum Badania
Opinii Społecznej wynika, że partie polityczne są tymi instytucjami
życia publicznego, do których Polacy jednoznacznie nie mają zaufania (jedynie 2% respondentów odpowiada, że zdecydowanie im ufa).
Raport z 2008 r. pokazuje, iż od 2002 r. poziom względnego zaufania
do partii powoli, ale jednak systematycznie się podnosi[4].

Z danych podawanych przez partie polityczne wynika, że należy
do nich nie więcej niż 300 tys. dorosłych Polaków. Bilans jest stały
nawet wtedy, gdy szeregi którejś z nich chwilowo pęcznieją, w tym
samym czasie bowiem w pozostałych partiach baza członkowska się
kurczy. Kiedy w Platformie Obywatelskiej od wygranych wyborów
parlamentarnych w 2007 r. do początku 2010 r. liczba członków wzro-
sła o ponad połowę (do niemal 46 tys. osób), ubyło ich w Sojuszu
Lewicy Demokratycznej, do którego należy obecnie mniej niż 70 tys.
osób, oraz w Polskim Stronnictwie Ludowym (ok. 128 tys. członków). Na stałym poziomie pozostaje liczba członków w Prawie
i Sprawiedliwości (ok. 22 tys. osób).

Skoro do partii politycznych należy tylko co setny dorosły obywa-
tel, jeszcze mniejszą grupę określić można mianem aktywnych działaczy partyjnych, to tym ciekawsza staje się analiza wyznawanych
przez nich wartości, podzielanych poglądów politycznych, motywów
partycypacji w życiu publicznym. Publikacja *Ludzie partii – idealiści
czy pragmatycy?* nie traktuje o tzw. szeregowych członkach ugrupowań politycznych. Autorzy uwagę koncentrują na delegatach na zjazdy i kongresy partyjne oraz rady regionalne, określanych w literaturze anglojęzycznej mianem *middle-level elites*, we francuskojęzycznej
zaś *cadres intermédiaires*[5]. To właśnie oni stanowią o organizacyjnej

[3] *Eurobarometr 66. Raport krajowy: Polska*, Komisja Europejska, Bruksela
1996, s. 9.

[4] *Zaufanie społeczne w latach 2002–2008*, komunikat z badań CBOS, luty 2008,
s. 8, http://www.cbos.pl/SPISKOM.POL/2008/K_030_08.PDF

[5] Ściśle rzecz ujmując, kategorie te nie do końca się pokrywają. *Middle-level
elites* to członkowie partii, którzy z racji wyboru lub nominacji piastują partyjne stanowiska w strefie pomiędzy kierownictwem partii a jej bazą członkowską.
Uczestnicy kongresów lub rad regionalnych rekrutują się natomiast zarówno spośród średniej kadry partyjnej, jak i działaczy, aktywistów, liderów lokalnych, radnych, parlamentarzystów, europejskich deputowanych.

strukturze partii politycznej, są prawdziwym źródłem i motorem jej rozwoju, swoistym partyjnym DNA.

Rola partyjnych struktur średniego szczebla, spośród których rekrutują się delegaci na zjazdy i członkowie rad regionalnych, ulega ewolucji zarówno w Polsce, jak i innych państwach europejskich. Ich realna siła zdaje się tracić na znaczeniu w związku ze wzrostem znaczenia ogólnokrajowych mediów kreujących politykę i liderów partyjnych, innym niż kiedyś sposobem uprawiania polityki (np. konstruowania list wyborczych, wyboru przewodniczącego partii), zmianami partyjnej hierarchii w kierunku określonym przez Richarda Katza i Petera Maira[6] mianem stratarchii, gdzie poszczególne człony partii mają dość dużą autonomię, mniej jest hierarchicznych zależności, szeregowi członkowie partii zyskują wpływ na funkcjonowanie partii kosztem działaczy średniego szczebla. Jak piszą Katarzyna Sobolewska-Myślik, Beata Kosowska-Gąstoł i Piotr Borowiec: „istotne jest tu zwłaszcza zwiększenie zakresu reguł demokracji bezpośredniej, w ramach której zwykli członkowie mają głos bezpośredni: czy przy wyborze lidera, czy też przy konstruowaniu list wyborczych"[7].

Z drugiej jednak strony nadal silne struktury średniego szczebla pomagają przetrwać partiom politycznym po porażkach wyborczych (choć już nie gwarantują sukcesu wyborczego), są istotne dla partii liczebnych kadrowo, umożliwiając im „zagospodarowanie" poszczególnych poziomów administracyjnych kraju, stanowią ważny element w kontekście uczestnictwa partii w wyborach samorządowych i późniejszym sprawowaniu władzy w terenie. Aktualna pozostaje konstatacja Ewy Nalewajko, iż: „Partie słabo zakorzenione, pozbawione niezbędnych zasileń, w najlepszym razie są skazane na dryfowanie w polityce, a ich ewentualne sukcesy polityczne mają zazwyczaj charakter krótkotrwały i przemijający"[8].

Partyjny kongres to instytucja funkcjonująca w każdej partii politycznej. Delegaci są wybierani przez terenowe organizacje partyjne,

---

[6] R.S. Katz, P. Mair (red.), *How Parties Organize. Change and Adaptation in Party Organizations in Western Democracies*, Sage Publications, London 1994.

[7] K. Sobolewska-Myślik, B. Kosowska-Gąstoł, P. Borowiec, *Struktury organizacyjne polskich partii politycznych*, Wydawnictwo Uniwersytetu Jagiellońskiego, Kraków 2010, s. 29.

[8] E. Nalewajko, *Powiatowe partie polityczne – trudna adaptacja*, w: J. Wasilewski (red.), *Powiatowa elita polityczna: Rekrutacja, struktura, działanie*, IFiS PAN, Warszawa 2006, s. 187.

uzyskując legitymizację i ich poparcie, dzięki którym mogą wpływać na modyfikację statutu partii i rekonfigurację najważniejszych wartości będących fundamentem ideologicznym ugrupowania politycznego. Jeśli dodatkowo wziąć pod uwagę fakt, że to dzięki ich głosom wybierane jest centralne kierownictwo ugrupowania, to dochodzi się do wniosku, że wszystkie najważniejsze decyzje podejmowane wewnątrz partii zależą – przynajmniej teoretycznie – od opinii, postaw i wizji ugrupowania podzielanych i formułowanych przez delegatów. To oni stanowią mikrokosmos partii.

Partyjne kadry średniego szczebla, członkowie rad regionalnych i delegaci na kongresy partyjne nie byli częstym przedmiotem analiz politologicznych i socjologicznych. Pierwsze tego typu badania przeprowadzone zostały w latach 60. XX w. w Stanach Zjednoczonych i dotyczyły jedynie działaczy wybranych miast[9]. Pod koniec tejże i w ciągu następnej dekady podobne badania powadzono we Włoszech (w 1968 r. Alan J. Stern, Sidney Tarrow i Mary F. Williams wśród delegatów na narodowy kongres Włoskiej Partii Socjalistycznej – PSI[10]), we Francji (w 1973 r. Ronald Cayrol wśród uczestników narodowego kongresu francuskiej Partii Socjalistycznej[11], François Platone i Françoise Subileau w szeregach paryskich komunistów[12]) i w Niemczech (Dawine Marvick podczas kongresów kilku partii w Monachium[13]). Pierwsze transnarodowe badania delegatów na kongresy partyjne realizowane w ramach *European Political Parties' Middle-Level Elites Project* zostały przeprowadzone w latach 1978–1979 przez międzynarodowy zespół politologów koordynowany

---

[9] S. Hirschfield, B.E. Swanson, B.D. Blank, *A profile of political activists in Manhattan*, „Western Political Quarterly", vol. 15, nr 3, 1962, s. 489–506; R.H. Salisbury, *The urban party organization member*, „Public Opinion Quarterly", vol. 29, 1965, s. 553–561.

[10] A.J. Stern, S. Tarrow, M.F. Williams, *Factions and opinion groups in European mass parties*, „Comparative Politics", vol. 3, nr 4, lipiec 1971, s. 529–559.

[11] R. Cayrol, *L'univers politique des militants socialistes: Une enquête sur les orientations, courants et tendances du Parti socialiste*, „Revue française de science politique", nr 1, 1975, s. 23–52.

[12] F. Platone, F. Subileau, *Les militants communistes à Paris. Quelques données sociologiques*, „Revue française de science politique", vol. 25, nr 5, 1975, s. 837–869.

[13] D. Marvick, *Les cadres des partis politiques en Allemagne*, „Revue française de sociologie", numer specjalny, 7, 1966, s. 619–635.

przez Karlheinza Reifa, Rolanda Cayrola i Oskara Niedermayera[14]. Przygotowali oni jednolite narzędzie badawcze: kwestionariusz rozpowszechniony podczas kongresów 39 partii politycznych we wszystkich dziewięciu państwach Wspólnoty Europejskiej. Rezultatem projektu były publikacje w postaci zarówno *case studies* poszczególnych partii[15], jak i prac komparatystycznych[16]. Do pomysłu prowadzenia transnarodowych badań partyjnego mikrokosmosu powrócono na początku XXI w. w Belgii, gdzie politolodzy z Centrum Badań nad Życiem Politycznym (CEVIPOL) Wolnego Uniwersytetu w Brukseli przeprowadzili analizy wśród uczestników partyjnych kongresów wszystkich frankofońskich partii politycznych w Belgii. Badania zrealizowane w Polsce w latach 2008–2009, efektem których jest książka *Ludzie partii – idealiści czy pragmatycy?*, to kolejny etap prac zespołu kierowanego przez Jean-Michela De Waele'a współdziałającego z dwojgiem politologów z Uniwersytetu Wrocławskiego: Anną Pacześniak i Michałem Jacuńskim. Wpisują się one w główny nurt zainteresowań zespołu badawczego CEVIPOL dotyczący życia politycznego w państwach Europy Środkowo-Wschodniej, a w szczególności aktorów politycznych i społecznych, transformacji ustrojowej, upadku reżimów komunistycznych, dziedzictwa postkomunistycznego w tej części Europy oraz konsekwencji wynikających z integracji europejskiej. Podobne do naszych badania zostały już przeprowadzone w wybranych partiach politycznych Czech, Rumunii i Bułgarii. Podzielając pogląd, iż nie można zrozu-

---

[14] K. Reif, R. Cayrol, O. Niedermayer, *National political parties' middle-level elites and European integration*, „European Journal of Political Research", vol. 8, nr 1, 1980.

[15] B.P. Middel, W. Van Schuur, *Dutch party delegates*, „Acta Politica", nr 16, 1981, s. 241–263; R. Cayrol, C. Ysmal, *Les militants...*, op. cit., s. 572–586; C. Ysmal, *L'univers politique des militans RPR*, „Pouvoir", nr 28, 1984, s. 77–90; C. Ysmal, R. Cayrol, *Militants socialistes: Le pouvoir use*, „Projet", nr 191, 1985, s. 20–32; R.B. Rapoport, A.I. Abramowitz, J. McGlennon (red.), *The Life of Parties: Activists in Presidential Politics*, University of Kentucky Press, 1986; P.H. Claeyes, N. Loeb-Mayer, *Militants et électeurs*, w: R. Bouillin-Dertevelde i in., *Les élections législatives du 8 novembre 1981. La nouvelle rupture*, Institut de sociologie, Bruxelles 1984, s. 75–119.

[16] K. Reif, R. Cayrol, O. Niedermayer, *National political...*, op. cit.; W. Van Schuur, *Constraints in European party activists' sympathy scores for interest groups. The left-right dimension as dominant structuring principle*, „European Journal of Political Research", vol. 3, nr 15, 1987, s. 347–362; *Party activists in comparative perspective*, „International Political Science Review", vol. 1, nr 4, 1983.

mieć partii politycznej bez znajomości jej wewnętrznej konstrukcji[17], skoncentrowaliśmy się na funkcjonowaniu elit średniego szczebla, członków rad regionalnych oraz delegatów na zjazdy i kongresy partyjne, uznając, iż ich postawy, cechy socjodemograficzne oraz stosunek do partii mogą być jednym z elementów tłumaczących trwałość partyjnej organizacji oraz jej wyborczych sukcesów lub porażek.

Analizując współczesną literaturę na temat partii politycznych i ich wewnętrznej organizacji, szczególnie tę dotyczącą ugrupowań w Europie Środkowo-Wschodniej, ze zdziwieniem można skonstatować, iż kadrom średniego szczebla autorzy poświęcają bardzo mało miejsca. Wyjątkiem są badania prowadzone przez Mirosławę Grabowską i Tadeusza Szawiela, którzy od 1991 r. za pomocą ankiety audytoryjnej analizowali zgodność poglądów delegatów na partyjne zjazdy z programami reprezentowanych przez nich ugrupowań oraz kondycję organizacyjną partii politycznych w ocenie ich wewnętrznych elit[18]. Mimo że w statutach partii kongres określany jest mianem najwyższego organu decyzyjnego i uchwałodawczego, to jego uczestnicy pozostają dla większości politologów czymś w rodzaju *terra incognita*. Skąd ten brak zainteresowania?

Powodów można wskazać co najmniej kilka, choć nie wszystkie stanowią satysfakcjonujące wytłumaczenie. Jednym z nich jest coraz częstsze postrzeganie politologii jako nauki praktycznej, utylitarnej (*applied political science*). Uznanie politologów, także w Europie, zdobywa anglosaski/amerykański model uprawiania nauk politycznych, w którym istotną wagę przywiązuje się do praktycznego zastosowania ustaleń poznawczych, a politologię postrzega się jako „naukę służebną"[19]. Określa to w dużej mierze preferencje badawcze, koncen-

---

[17] Zob. np. P. Delwitt, B. Hellings, E. Van Haute, *Les cadres intermédiaires du Parti Socialiste et d'Ecolo*, „Courier Hebdomadaire", nr 1801–1802, Crisp, Bruxelles 2003; P. Delwitt, B. Hellings, E. Van Haute, *Les cadres intermédiaires du PSC et du Mouvement Réformateur*, „Courier Hebdomadaire", nr 1804–1805, Crisp, Bruxelles 2003; P. Brechon, J. Derville, P. Lecompte, *Les cadres du RPR*, Economica, Paris 1987.

[18] M.in. M. Grabowska, T. Szawiel, *Anatomia elit politycznych. Partie polityczne w postkomunistycznej Polsce 1991–1993*, Instytut Socjologii Uniwersytetu Warszawskiego, Warszawa 1993; M. Grabowska, T. Szawiel, *Budowanie demokracji. Podziały społeczne, partie polityczne i społeczeństwo obywatelskie w postkomunistycznej Polsce*, Wydawnictwo Naukowe PWN, Warszawa 2001.

[19] Por. A. Chodubski, *Wektory rozwoju współczesnej politologii w Polsce*, w: *Demokratyczna Polska w globalizującym się świecie*, I Ogólnopolski Kongres Po-

trowanie uwagi (i środków finansowych) na „modnych" obszarach badawczych i niechęć do podejmowania analiz, których nie można wykorzystać „tu i teraz". Tendencja ta wiąże się z szerszym zjawiskiem koncentracji polityki, a także badań nad nią, na perspektywie krótko-, a nie średnio- czy długoterminowej. Politycy zainteresowani są tym, jak wygrać kolejne wybory, a nie podejmowaniem działań, których skutki będą odczuwalne w perspektywie dekady lub dwóch. Od politologów oczekują podpowiedzi, w jaki sposób podnieść procentowe słupki poparcia, jakie triki stosować, by nie popaść w niełaskę elektoratu, a nie pogłębionych analiz, z którymi w partii nikt nie wie, co zrobić i jak je wykorzystać.

Są i głębsze powody, dla których zainteresowanie badaniami kadr partyjnych nie jest duże. W literaturze na temat ewolucji modeli partii politycznych od dawna wskazuje się na odchodzenie od modelu partii masowej w kierunku modelu partii wyborczej (*catch-all*)[20] partii profesjonalno-wyborczej (*electoral-professional*)[21] czy partii-kartelu (*cartel party*)[22]. Wpływa to na zmiany w wewnętrznej organizacji partii. W partii masowej członkowie byli zorganizowani w ramach struktur terytorialnych, które wybierały swoich delegatów wchodzących w skład organów wyższego rzędu. Na szczycie tej piramidy znajdował się krajowy kongres partii, w którym formalnie skupiała się pełnia partyjnej władzy. W partiach wyborczych natomiast znaczenie członków i działaczy partyjnych jest nieporównywalnie mniejsze. Nadal są oni partii potrzebni, ale raczej w celu legitymizowania działań „góry" i potwierdzania istnienia demokracji wewnętrznej, a nie po to, by nadawać im realne uprawnienia[23]. Partiom wyborczym o wiele bardziej zależy na komunikowaniu się z elektoratem niż z własną bazą

litologii, Warszawa, 22–24 września 2009, Wydawnictwa Akademickie i Profesjonalne, Warszawa 2009, s. 166.

[20] O. Krichheimer, *The transformation of Western European party system*, w: J. LaPalombara, M. Weiner (red.), *Political Parties and Political Development*, Princeton University Press, New York 1966.

[21] A. Panebianco, *Political Parties: Organization and Power*, Cambridge University Press, Cambridge 1988.

[22] R. Katz, P. Mair, *The evolution of party organizations in Europe: The tree faces of party organization*, „American Review of Politics", vol. 14, 1993; R. Katz, P. Mair, *Changing models of party organization and party democracy*, „Party Politics", vol. 1, nr 1, 1995.

[23] R. Herbut, *Teoria i praktyka funkcjonowania partii politycznych*, Wydawnictwo Uniwersytetu Wrocławskiego, Wrocław 2002, s. 87–95.

członkowską, a to oznacza, że poglądy, postawy, opinie oraz motywacje członków i działaczy nie są dla kierownictwa ugrupowania kwestią szczególnie ważną. Partie nie przywiązują zatem dużego znaczenia do zagospodarowywania trwałej bazy wyborczej opierającej się na solidnym zapleczu członkowskim i gęstej sieci terenowych komórek partyjnych. W kampaniach orientują się na wykorzystanie zewnętrznych instrumentów dotarcia do potencjalnego wyborcy, co przyczynia się do dominacji liderów partyjnych i pomniejszania roli członków i działaczy.

Trudno się jednak zgodzić, że wszystkie ugrupowania w Europie ewoluują od partii masowej do partii wyborczej. Na poziomie empirycznym okazuje się, że szczególnie w demokracjach skonsolidowanych mamy do czynienia z pluralizmem partyjnych formuł organizacyjnych[24]. Ludger Helms wskazuje na przykład, że w wypadku Francji, Belgii i Włoch rola partyjnej organizacji pozaparlamentarnej (biurokratycznej) jest zdecydowanie silniejsza niż partyjnej elity parlamentarnej[25]. Knut Heidar i Jo Saglie dowodzą, że analizując funkcjonowanie wewnętrzne partii norweskich, trudno byłoby obronić tezy o centralizacji procesu podejmowania decyzji na poziomie struktur wykonawczych partii czy o zminimalizowaniu roli delegatów regionalnych struktur wewnątrz ugrupowania[26].

W Europie Środkowo-Wschodniej również zauważa się pewne odchylenia od generalnych tendencji ewolucji modelu partii. Nie wszystkie badania empiryczne potwierdzają tezę o kartelizacji partii[27]. Z jednej strony rzeczywiście po krótkim okresie umasowienia polityki na początku lat 90., kiedy w wielu państwach regionu scenę polityczną zawładnęły organizacje skupiające opozycję antykomunistyczną, rozpoczął się proces „parlamentaryzacji" polityki i partii politycznych. Organizacyjne początki zdecydowanej większości partii politycznych

---

[24] R. Koole, *Cadre, catch-all or cartel? A comment on the notion of cartel party*, „Party Politics", nr 1, 1995, s. 520.

[25] L. Helms, *Parliamentary party groups and their parties: A comparative assessment*, „The Journal of Legislative Studies", nr 6, 2000, s. 104–120.

[26] J. Saglie, K. Heidar, *Democracy within Norwegian political parties*, „Party Politics", vol. 10, nr 4, 2004, s. 385–405.

[27] P. Gueorguieva, S. Soare, *Peut-on parler d'une cartellisation des partis politiques en Europe central et orientale? Les cas bulgare et roumain*, w: A. Roger (red.), *Des partis pour quoi faire? La représentation politique en Europe centrale et orientale*, Bruylant, Bruxelles 2003, s. 103–120.

w Europie Środkowo-Wschodniej były ściśle powiązane z parlamentem, a decydującą przesłanką ich relewancji politycznej był fakt posiadania parlamentarnej reprezentacji. Proces ten miał duży wpływ na styl aktywności partii politycznych i charakter powstającej struktury organizacyjnej, gdzie zarysowała się tendencja do dominacji elity parlamentarnej[28]. Partyjny klub poselski określał kierunki polityki partii nie tylko na poziomie parlamentarnym, lecz także na poziomie samego ugrupowania. Działacze nieposiadający parlamentarnego mandatu odgrywali w partii rolę poboczną, parlamentarzyści mieli statutowo zagwarantowane członkostwo w najwyższych władzach partyjnych lub ułatwioną do niego drogę, dzięki czemu decydowali o tworzeniu list partyjnych przy kolejnych wyborach[29]. W partiach zaczęło dominować ścisłe krajowe kierownictwo, a najsłabszymi ogniwami stały się organizacje członkowskie. W organizacji wewnętrznej przechodzono od formy demokracji reprezentatywnej do formuły reprezentacji bezpośredniej. Z drugiej jednak strony kierownictwo partii ciągle jest wybierane głosami oddziałów lokalnych partii, co oznacza, że jak na razie elity średniego szczebla odgrywają w niej niepoślednią rolę.

Nie należy też zapominać o tzw. ugrupowaniach postkomunistycznych i partiach sukcesorkach[30], które 20 lat temu weszły do polityki ze sporym zapleczem organizacyjnym, a zwłaszcza aparatem biurokratycznym. Pomimo spadku liczby członków wciąż można je postrzegać jako organizacje opierające swoje rezultaty wyborcze (choć nie zawsze sukcesy) na sile i spójności wewnętrznej oraz rozbudowanej bazie członkowskiej.

W większości partii w Europie Środkowej można zaobserwować dominację centrum stwarzającego jedynie pozory autonomii organizacji lokalnych, którym nie daje się możliwości uczestniczenia w bieżącym procesie decyzyjnym. Członkowie najniższych struktur partyjnych są angażowani niemal wyłącznie w okresie ważniejszych kampanii politycznych lub w celu legitymizowania odgórnie podjętych decyzji. Jak pisze Ryszard Herbut: „Efekt elitarności wzmacnia dodatkowo to, iż struktury biurokratyczne partii nie tyle służą koordynacji organizacji lokalnych, ile świadczą usługi organizacji parla-

---

[28] R. Herbut, *Teoria i praktyka...*, op. cit., s. 110.

[29] A. Agh, *Partial consolidation of the East-Central European parties: The case of the Hungarian Socialist Party*, „Party Politics", vol. 1, nr 4, 1995, s. 491–514.

[30] P. Kopecky, *Developing party organizations in East-Central Europe. What type of party is likely to emerge?*, „Party Politics", vol. 1, nr 4, 1995, s. 515–534.

mentarnej. «Obrastając» tę ostatnią, pogłębiają wrażenie oddalenia od partii członkowskiej”[31]. Namacalne przejawy braku zainteresowania kierownictwa partii bazą członkowską własnego ugrupowania opisał Paul Lewis[32]. Kiedy w połowie lat 90. zapytał sekretarza Polskiego Stronnictwa Ludowego o liczbę członków, ten nie tylko nie potrafił udzielić rzetelnej informacji, ale dodał, iż dla jego partii baza członkowska nie jest tak ważna jak umiejętność mobilizacji na potrzeby ulicznych demonstracji lub protestów.

W literaturze politologicznej można znaleźć coraz wnikliwsze analizy ewolucji systemów partyjnych państw Europy Środkowo--Wschodniej ostatnich 20 lat[33], nie oznacza to jednak, że udostępniona jest równie szeroką wiedzą na temat wewnętrznej organizacji poszczególnych partii[34]. Słabością niektórych analiz jest koncentracja rozważań na konwergencji partii środkowoeuropejskich i zachodnioeuropejskich. Bezrefleksyjna adaptacja kluczowych koncepcji z dorobku nauk politycznych, powstałego na bazie analiz partii politycznych i systemów partyjnych w skonsolidowanych demokracjach, do badań tychże w demokracjach młodych i konsolidujących się, może prowokować do nieuprawnionych wniosków. Przeprowadzając międzyregionalne analizy porównawcze, które wykorzystują kategorie wytworzone w odmiennych kontekstach geograficznych, politycznych, społecznych czy ekonomicznych, należy być ostrożnym, ponieważ nie wszystkie pojęcia mają zasięg uniwersalny i pozwalający abstrahować od czasu, kiedy zostały stworzone[35]. Autorzy starają się

---

[31] R. Herbut, *Teoria i praktyka...*, op. cit., s. 110.
[32] P.G. Lewis, *Political Parties in Post-Communist Eastern Europe*, Routledge, London 2000, s. 98.
[33] Nie sposób wymienić tytułów wszystkich publikacji na ten temat. Oto kilka przykładów: S. Riishøj, *Transition, consolidation and development of parties and party systems in Central Europe 1989–2009*, „Politologiske Skrifter", nr 21, 2009; J.M. De Waele (red.), *Les clivages politiques en Europe centrale et orientale*, Editions de l'Université de Bruxelles, 2004; A. Antoszewski, P. Fiala, R. Herbut, J. Sroka (red.), *Partie i systemy partyjne Europy Środkowej*, Wydawnictwo Uniwersytetu Wrocławskiego, Wrocław 2003; P.G. Lewis, *Political Parties...*, op. cit.; H. Kitschelt, Z. Mansfeldova, R. Markowski, G. Toka, *Post-communist Party Systems: Competition, Representation and Inter-party Cooperation*, Cambridge University Press, Cambridge 1999; K. Sobolewska-Myślik, *Partie i systemy partyjne Europy Środkowej po 1989 roku*, Księgarnia Akademicka, Kraków 1999.
[34] P. Kopecky, *Developing party...*, op. cit.
[35] G. Sartori, *Concept misformation in comparative politics*, „The American Political Science Review", vol. 64, nr 4, 1970, s. 1033–1053.

o tym pamiętać w tej książce, co nie oznacza, że analizując przypadki dwóch polskich partii politycznych, nie odwołują się do zaobserwowanych gdzie indziej prawidłowości i tendencji.

Kolejną cechą partii działających w Europie Środkowo-Wschodniej, obserwowaną także na polskim rynku politycznym, jest – oprócz opisywanej już słabości organizacyjnej partii – brak ideologicznej krystalizacji ugrupowań politycznych. Dotyczy to w równej mierze partii powstałych w ostatnich dwóch dekadach, partii historycznych sięgających swoimi korzeniami dwudziestolecia międzywojennego oraz tzw. partii postkomunistycznych. Partie wprawdzie niejednokrotnie odwołują się w swoich programach do ideologii, ale często w sposób przypadkowy, niespójny, eklektyczny. To sprawia, że napotykają trudności w odnalezieniu się w konkretnej ideologicznej rodzinie partii czy w grupie politycznej Parlamentu Europejskiego bądź transnarodowej federacji partii politycznych[36]. Na pierwszy rzut oka ten brak skrystalizowanych ideologii może dziwić, ponieważ powszechnie uważa się, że debata polityczna w państwach byłego bloku wschodniego od początku okresu transformacji była silnie zideologizowana. Przez wiele lat sceny polityczne tych państw w dużej mierze opierały się jednak nie na podziale ideologicznym, a historycznym – na ugrupowania postkomunistyczne i antykomunistyczne[37]. Afiliacje ideologiczne były zarówno dla partii, jak i dla wyborców kwestią drugoplanową, a główną oś rywalizacji politycznej konstytuowała wspólnota aksjologiczna, wyrażająca się w wartościowaniu przeszłości[38].

Czy w Polsce dwadzieścia lat po zmianie ustroju partie nadal niewiele różnią się od siebie pod względem ideologicznym i programowym? Aby odpowiedzieć na to pytanie, można spróbować studiować programy polityczne, uchwały, stanowiska, publiczne wypowiedzi liderów partyjnych, ale także poddać analizie poglądy partyjnych aktywistów. Jakie są różnice między badanymi przez nas działaczami

---

[36] Spośród polskich partii politycznych żadnych wątpliwości co do wyboru grupy politycznej w Parlamencie Europejskim nie miał jedynie Sojusz Lewicy Demokratycznej, który od początku zabiegał o przyjęcie do Partii Europejskich Socjalistów i parlamentarnej grupy PES.

[37] Podział ten stracił na aktualności np. na Słowacji, ale jest nadal żywy np. na Węgrzech.

[38] A. Antoszewski, *Wzorce rywalizacji politycznej we współczesnych demokracjach europejskich*, Wydawnictwo Uniwersytetu Wrocławskiego, Wrocław 2004, s. 120.

Sojuszu Lewicy Demokratycznej a kadrami partyjnymi Platformy Obywatelskiej? Czy zakwalifikować je jako różnice między prawicą i lewicą w wymiarze ekonomicznym, aksjologicznym, politycznym? Czy SLD można – przez pryzmat poglądów jej członków i działaczy – z przekonaniem uznać za partię lewicową? Gdzie jest miejsce dla PO: wśród liberałów, konserwatystów, a może chrześcijańskich demokratów? Jaki jest poziom spójności poglądów delegatów biorących udział w zjazdach, kongresach, radach regionalnych, na ile wyrażane przez nich sądy i opinie znajdują odzwierciedlenie w partyjnych programach? Jakie są ich główne oczekiwania odnośnie do zmian programu partii i wewnętrznej jej organizacji, a także pożądanych aliansów wyborczych i rządowych?

W naszej publikacji porównujemy socjologiczne portrety działaczy obu badanych partii, aby się przekonać, czy na tym poziomie istnieje między nimi jakakolwiek różnica. Przeprowadzona jest analiza poziomu zaangażowania członków w codzienne funkcjonowanie partii, powody ich wstąpienia do partii oraz motywy determinujące przywiązanie do ugrupowania. Autorzy sprawdzili również, czy wewnątrz partii istnieją podziały regionalne, generacyjne i środowiskowe.

Ograniczenie badań do dwóch partii politycznych ma swoje powody. Według informacji przekazywanych Państwowej Komisji Wyborczej przez Sąd Okręgowy w Warszawie w rejestrze partii politycznych figurują 83 ugrupowania polityczne, na arenie wyborczej – krajowej, regionalnej, lokalnej – funkcjonuje ich co najmniej kilkanaście, na arenie parlamentarnej od 2007 r. – cztery. Rozmowy na temat zrealizowania badań kwestionariuszowych wśród partyjnego aktywu prowadzono ze wszystkimi parlamentarnymi ugrupowaniami politycznymi: Platformą Obywatelską, Prawem i Sprawiedliwością, Sojuszem Lewicy Demokratycznej i Polskim Stronnictwem Ludowym. Nie po raz pierwszy okazało się, że choć partie polityczne nie są organizacjami sekretnymi, tajnymi, zamkniętymi, to wcale nie oznacza, że badacz ma do nich niczym nieograniczony dostęp. Kierownictwo partii nie czeka na politologów z otwartymi ramionami, zwłaszcza jeśli nie są oni kolegami z partyjnych szeregów. Przełamanie nieufności nie jest łatwe. Pierwszą partią, która zgodziła się na obecność naszych ankieterów podczas regionalnych zjazdów, był Sojusz Lewicy Demokratycznej. Badania delegatów na zjazdy wojewódzkie SLD zostały przeprowadzone w kwietniu i maju 2008 r. we wszystkich

16 województwach. Uzyskaliśmy odpowiedzi od 1569 respondentów, co stanowiło ok. 70% osób uczestniczących w zjazdach[39]. W marcu 2009 r. przeprowadziliśmy podobne badania podczas 16 rad regionalnych Platformy Obywatelskiej. Rady regionalne są ciałami kolegialnymi o mniejszej liczebności niż partyjne zjazdy regionalne, jednak i w nich uczestniczą działacze reprezentujący organizacje terenowe, czyli tytułowi ludzie partii. W PO uzyskano odpowiedzi od 507 działaczy, co stanowiło 74% osób, które wzięły udział w radach regionalnych.

Kwestionariusze w wypadku obu ugrupowań skonstruowane były w taki sam sposób, choć różniły się pojedynczymi pytaniami, zwłaszcza dotyczącymi wewnętrznych kwestii partyjnych. Aby móc dokonywać porównań międzynarodowych, polskim działaczom partyjnym zadano podobne pytania, jakie wcześniej badacze z CEVIPOL stawiali członkom partii czeskich, rumuńskich czy bułgarskich. Pytania zostały pogrupowane tematycznie i dotyczyły charakterystyki socjodemograficznej działaczy, intensywności i form ich partyjnej aktywności, ścieżek socjalizacji politycznej, postrzegania własnej partii i konkurentów na rynku politycznym, jak też systemu wartości, opinii oraz deklaracji politycznych.

Odpowiedzi delegatów były analizowane za pomocą wybranych metod statystycznych. Zdecydowaliśmy się na analizę czynnikową, analizę wariancji oraz ograniczoną analizę wielozmiennową. Analiza czynnikowa to metoda, której celem jest zredukowanie dużej liczby zmiennych losowych do mniejszego zbioru, co uzyskujemy przez założenie, że określone grupy zmiennych losowych reprezentują zmienność tych samych czynników, czyli zmienne losowe w danej grupie są od siebie w pewnym stopniu zależne. Analiza wariancji (ANOVA, ang. *analysis of variance*), stworzona w 1925 r. przez Ronalda Fishera[40], pozwala na badania obserwacji zależnych od jednego lub wielu działających równocześnie czynników. Metoda ta wyjaśnia, z jakim prawdopodobieństwem wyodrębnione czynniki mogą być powodem różnic między obserwowanymi średnimi grupowymi. Pokusiliśmy się rów-

---

[39] Specyfika zjazdów partyjnych sprawia, że niemożliwe jest dokładne określenie liczby osób, które wzięły w nim udział. Znana jest liczba delegatów uprawnionych do wzięcia udziału w zjeździe, podpisywane są listy obecności, wydawane materiały zjazdowe, liczone głosy podczas głosowań, ale dane te się nie pokrywają.

[40] R.A. Fisher, *Statistical Methods for Research Workers*, Oliver and Boyd, Edinburgh 1925.

nież o dokonanie kilku analiz wielozmiennowych, by znaleźć bardziej złożone schematy związków wykraczających poza dane tabelaryczne, co jest możliwe m.in. dzięki metodzie regresji wielokrotnej czy metodzie analiz głównych składowych. Biorąc pod uwagę fakt, iż tego typu analizy są interesujące, ale także niezwykle czasochłonne, autorzy musieliśmy narzucić sobie pewne ograniczenia, na przykład nie generować zbyt wielu danych, by – jak mawia Alan Oppenheim[41] – las nie przysłonił czytelnikowi drzew.

Liczymy się z tym, że nasza publikacja może spotkać się z zarzutem zbytniej statyczności obrazu, z racji tego, iż zgromadzone wyniki dotyczą jednego okresu w życiu dwóch partii politycznych. Uznaliśmy jednak, że przy stosunkowo wysokiej dynamice zmian na polskiej scenie politycznej, warto zanalizować zebrany materiał empiryczny, by w przyszłości kontynuować badania kadr średniego szczebla w polskich partiach politycznych, które pozwolą na formułowanie znacznie bardziej rozbudowanych wniosków.

Mamy nadzieję, że dzięki przeprowadzonym badaniom empirycznym udało nam się nie tylko stworzyć wielowymiarowy portret ludzi partii, lecz także dorzucić cegiełkę do obszernych studiów nad partiami politycznymi w Europie Środkowo-Wschodniej i zachęcić do refleksji nad ich naturą.

---

[41] A.N. Oppenheim, *Kwestionariusze, wywiady, pomiary postaw*, Wydawnictwo Zysk i S-ka, Poznań 2004.

MICHAŁ JACUŃSKI

DOJRZALI, WYKSZTAŁCENI I RELIGIJNI: PARTYJNE KADRY Z PROFILU

W polskich partiach politycznych można zaobserwować dwa równoległe procesy: z jednej strony konsekwentne wycofywanie się obywateli z działalności partyjnej, z drugiej zaś marginalizację znaczenia członków partii szczebla lokalnego oraz średniego względem kadr partyjnych szczebla centralnego, co jest również charakterystyczne dla Europy Zachodniej końca lat 90. XX w.[1] Nie należy jednak zakładać *a priori*, że zmniejszenie bazy członkowskiej oraz osłabienie atrakcyjności partii jako organizacji członkowskiej oznacza spadek wewnętrznej dynamiki, mniejsze zaangażowanie kadr ugrupowania w jego codzienną aktywność czy też osłabienie wysiłków na rzecz zdobycia lub utrzymania władzy.

W Europie można wyróżnić kraje, w których partie mogą się pochwalić umiarkowanie wysokim stopniem członkostwa, gdzie należy do nich między 12% a 25%, obywateli, oraz kraje niskiego poziomu członkostwa, gdzie ten odsetek waha się od 2% do 12%. Do pierwszej grupy zaliczają się m.in. Austria i kraje skandynawskie, do drugiej np. Wielka Brytania, Niemcy, Włochy.

Stopniowy spadek poziomu członkostwa w dużej mierze dotyczy partii o modelu zbliżonym do masowego. W Polsce są to ugrupowania, które swój rodowód wywodzą z PRL, tj. Polskie Stronnictwo Ludowe (PSL) oraz Sojusz Lewicy Demokratycznej (SLD). Mimo to obie partie są nadal najliczniejszymi polskimi ugrupowaniami politycznymi. Partie nowo powstałe, bardziej zbliżone do modelu par-

---

[1] Np. P. Mair, I. van Biezen, *Party membership in twenty European democracies, 1980–2000*, „Party Politics", vol. 7, nr 1, 2001, s. 6–9; M.L. Zielonka-Goei, *Members marginalising themselves? Intra-party participation in the Netherlands*, „West European Politics", vol. 15, nr 2, 1992, s. 93–106.

tii kadrowej lub *catch all*[2], nie koncentrują się na rozszerzaniu bazy członkowskiej i zatrzymują się na poziomie około 50 tys. członków, choć ich maksymalna liczba nie została nigdzie określona. Szukanie analogii między procesami odpływu członków, zmianą relacji z elektoratem oraz kryzysem ideologii w odniesieniu do partii zachodnioeuropejskich, i porównywanie ich z wyzwaniami, z którymi musiały się zmierzyć partie w Europie Środkowo-Wschodniej, wiąże się z pewnymi ograniczeniami[3]. Ugrupowania powstałe w trakcie transformacji systemowej w nowych demokracjach nie przechodziły większości faz rozwojowych i przeobrażeń, które stały się udziałem partii w ustabilizowanych reżimach Europy Zachodniej.

SLD jest partią niespełna dwukrotnie liczebniejszą i niewiele starszą od Platformy Obywatelskiej. Powstał w kwietniu 1999 r., zarejestrowano go miesiąc później. PO założono w styczniu 2001 r., zarejestrowano zaś w marcu 2002 r. SLD liczył w 2010 r. ok. 70 tys. członków, a PO – ok. 46 tys. Z pewnością bardziej interesujące poznawczo od porównywania liczebności partyjnych szeregów jest ustalenie, czy – biorąc pod uwagę odmienne kryteria genetyczne obu partii – występują zauważalne różnice w ich strukturze wewnętrznej oraz profilu społecznym członków.

Jednym z celów niniejszego opracowania jest ustalenie, czy struktura elektoratu obu badanych partii znajduje odzwierciedlenie w ich strukturze członkowskiej, tzn. czy mamy do czynienia ze swoistym paralelizmem reprezentacji partyjnej i jej aprobaty w konkretnych grupach wiekowych i zawodowych oraz w określonej społecznej przestrzeni miejskiej lub wiejskiej.

Zaznaczyć jednakże należy, iż zagadnienie to nie zajmuje centralnego miejsca w pracy, gdyż autorzy skoncentrowali się na badaniu wnętrza partii. Z badań elektoratów SLD i PO, które prowadzi m.in. CBOS[4], wskazują, że SLD zyskuje mniejszą aprobatę wśród mieszkańców największych miast, a także osób pracujących na własny rachunek, rolników i bezrobotnych. Platforma zaś jest wyraźnie słabiej popierana przez mieszkańców wsi, w porównaniu z miastami, mniej-

---

[2] R.S. Katz, P. Mair, *Cadre, catch-all or cartel? A rejoinder*, „Party Politics", vol. 2, nr 4, listopad 1996, s. 525–534.

[3] A. Smolar, *Kryzys partii politycznych czy kryzys polityki*, „Res Publica Nowa", vol. 17, nr 4, 2004, s. 9.

[4] *Społeczna aprobata i dezaprobata partii politycznych*, CBOS, komunikat z badań, BS/137/2008.

szym poparciem cieszy się też u starszych badanych, za to większą aprobatę znajduje wśród osób młodych i w średnim wieku (do 44. roku życia). Sympatii do PO sprzyja przede wszystkim wyższy poziom wykształcenia i powiązane z nim wyższe dochody oraz lepsza ocena własnej sytuacji materialnej.

Metoda badawcza

W poniższej analizie zaprezentowane zostaną dane zebrane metodą kwestionariusza wywiadu w trakcie zjazdów partyjnych Sojuszu Lewicy Demokratycznej w 2008 r. oraz Platformy Obywatelskiej w 2009 r. Liczba delegatów, którzy wzięli udział w badaniu, jest różna dla obu partii, a stała liczebność odpowiedzi w badanej próbie N niejednokrotnie się waha, gdyż respondenci nie zawsze uzupełniali wszystkie pozycje w kwestionariuszu. W przypadku SLD wypełnionych ankiet jest więcej, ponieważ proporcjonalnie więcej było także uczestników partyjnych zebrań, odbywały się one bowiem na szczeblu struktur miejskich i regionalnych. W PO zaś w okresie prowadzenia pomiaru zebrania organizowano wyłącznie z udziałem działaczy struktur regionalnych, których jest mniej. Maksymalna liczba odpowiedzi na konkretne pytania wynosi dla SLD 1569, dla PO 507.

Podczas badania struktury społecznej delegatów pod uwagę wzięto następujące zmienne socjodemograficzne: wiek, płeć, miejsce zamieszkania, wykształcenie, wyznanie, status zawodowy. Choć badano działaczy partyjnych średniego szczebla, to w zbiorze badanych w PO więcej osób pełniło funkcje publiczne, które za Jeanem Blondelem[5] określić można mianem polityk partyjny i lider partyjny, w SLD zaś wskazać można na bardziej liczny udział zwykłych członków partii, co wynika m.in. z odmiennych uwarunkowań statutowych, które determinują miejsce zapewnione w partyjne strukturze.

Struktura wiekowa

Średni wiek działacza partii wynosi: w SLD 51 lat, w PO – 47 lat. Jeśli chodzi o osoby młode lub wchodzące w wiek średni, to różnice pomiędzy ugrupowaniami są nieznaczne i wynoszą zaledwie 1%.

---

[5] J. Blondel, *Political Leadership: Towards General Analysis*, Sage, London 1987, s. 10–15.

W grupie do 39 roku życia znajduje się 22% działaczy SLD i 23% PO. Zauważalna dysproporcja wiekowa zaczyna się dopiero u osób w przedziale 40–49 lat oraz powyżej 60 roku życia. PO ma więcej aktywistów w wieku średnim (28%) niż SLD (13%). Natomiast wśród działaczy SLD znacznie więcej jest osób starszych, po 60. roku życia, którzy stanowią ok. 1/4 członków partii; w PO jest to zaledwie 8%. Szczegółowe porównanie wieku działaczy zaprezentowano na rycinie 1.

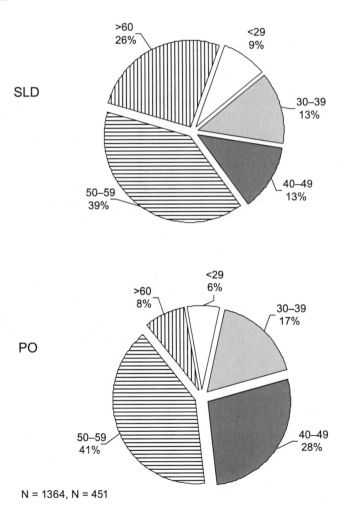

N = 1364, N = 451

Rycina 1. Struktura wiekowa działaczy partyjnych

Miejsce zamieszkania

Kongresy regionalne oraz zebrania struktur lokalnych odbywały się w dużych miastach będących najczęściej stolicami województw. Działaczy SLD i PO zbadano podczas spotkań w 16 ośrodkach, w każdym województwie po jednym. Przedmiotem zainteresowania badaczy było miejsce zamieszkania respondentów, którzy mogli wskazać jedno z podanych: wieś oraz miasta liczące: do 20 tys. mieszkańców, 20–50 tys., 50–200 tys., 200–500 tys. oraz powyżej 500 tys. mieszkańców.

Z badań preferencji wyborczych wynika, iż PO jest zwykle nadreprezentowana w dużych miastach, a załamanie tej tendencji następuje w miastach liczących 20–50 tys. mieszkańców. Jeśli chodzi o elektorat SLD podobnie – poparcie wyborcze jest dodatnio skorelowane z wielkością ośrodka miejskiego.

W SLD działacze ze wsi i miasteczek do 20 tys. mieszkańców stanowią blisko 42% członków partii, w PO odsetek ten jest mniejszy i wynosi 34%. Zauważalna jest natomiast większa liczba działaczy partyjnych PO ze średniej wielkości miast w przedziale 50–200 tys. mieszkańców, nieznacznie wyższy jest również odsetek działaczy pochodzących z dużych miast. Ogólnie rzecz biorąc, partie reprezentują jednak dość zbliżoną strukturę pod względem kryterium zamieszkania swoich aktywistów.

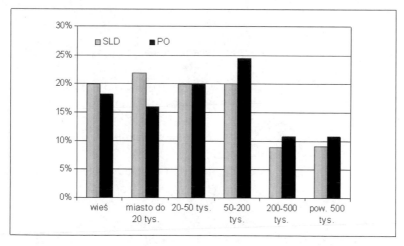

N = 1443, N = 493

Rycina 2. Miejsce zamieszkania działaczy partyjnych

Płeć uczestników badania

Odpowiedzi udzielone przez respondentów wskazują jednoznacznie, że polityka partyjna jest sferą zdominowaną głównie przez mężczyzn, którzy w obu partiach stanowią ponad 80% wszystkich delegatów. SLD wypada pod tym względem nieznacznie lepiej, choć odsetek 18,4% kobiet wśród uczestników partyjnych zjazdów regionalnych nie jest z pewnością zgodny z oczekiwaniami nowoczesnej lewicy.

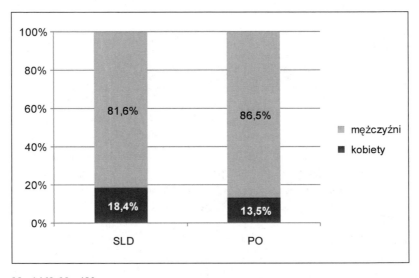

N = 1469, N = 480

Rycina 3. Struktura płci uczestników kongresów partyjnych

Choć odsetek kobiet jest niższy, to poziom ich zaangażowania w działalność partyjną, wyrażany np. poprzez częstszy start w wyborach, bywa wyższy niż kolegów zasiadających w partyjnych szeregach. Spośród delegatów PO w wyborach parlamentarnych w 2007 r. startowało 42,8% mężczyzn, kobiet zaś 58,1%. W SLD poziom uczestnictwa w wyborach był ogólnie niższy, a odsetek startujących kobiet i mężczyzn w badanej grupie był równy i wynosił po 9,1%. Można uznać, że choć wśród działaczy jest mniej kobiet niż mężczyzn, to w obu partiach są one aktywne wyborczo. Na tym jednak podobieństwa obu partii w zakresie aktywności ich członkiń się kończy. W SLD widać bowiem wyraźnie dużo niższą niż w PO aktywność zawodową kobiet (w SLD niespełna 2/3 kobiet wykonuje pracę zarobkową, w PO nie pracuje jedynie co dziesiąta kobieta). Różnica ta jest spowodowana m.in. tym, że wskaźnik zatrudnienia maleje wraz z wiekiem, a wśród działaczy SLD, jak wykazano w poprzednim punkcie, osoby powyżej 60 roku życia stanowią jedną czwartą badanych.

Struktura wykształcenia

Kadry partyjne obu partii są dość dobrze wykształcone. Osoby z niskim wykształceniem, które ukończyły szkołę podstawową, gimnazjum lub szkołę zawodową, stanowią mniej niż jeden procent w przypadku obu badanych ugrupowań. Zauważalna jest różnica w odsetku działaczy z wykształcenim średnim i wyższym magisterskim. W SLD ponad trzykrotnie więcej osób niż w PO zadeklarowało ukończenie szkoły średniej ogólnej lub technikum. Kadry PO są lepiej wykształcone na poziomie szkoły wyższej, gdyż tytułem magistra posługuje się aż 77% działaczy w stosunku do 55% członków SLD. Porównanie zamieszczono na rycinie 4.

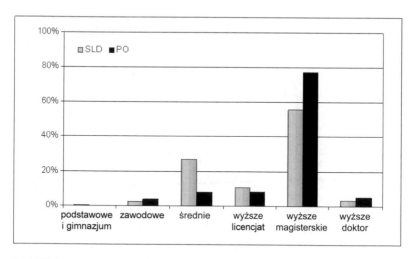

N = 1529, N = 490

Rycina 4. Struktura wykształcenia działaczy partyjnych

Struktura zawodowa

Działalność w partii politycznej może być traktowana jako zajęcie dodatkowe, wykonywane poza pracą zawodową. Może też być zajęciem podstawowym powiązanym ze stanowiskiem, otrzymanym z rekomendacji partyjnej lub wynikającym ze sprawowanego mandatu uzyskanego w drodze wyborów. Współcześnie wskazuje się na zanik masowego modelu partii i stopniową marginalizację bazy członkowskiej, co skutkuje centralizacją władzy w ugrupowaniu i zmianą wewnętrznego układu sił[6]. Partie stają się organizacjami profesjonalnymi, zlecając wyspecjalizowane usługi podmiotom zewnętrznym, a członków angażując głównie do sfery rekrutacyjno-selekcyjnej, która umożliwia w momencie przejęcia władzy penetrację struktur państwa i administracji w celu obsadzenia stanowisk i realizowania określonej polityki.

Aktywność zawodową kadr partyjnych ustalono na podstawie analizy odpowiedzi na pytania dotyczące statusu zawodowego (pracujący/niepracujący), profesji, jak też związków wykonywanej pracy z polityką. Wśród kadr SLD jest mniej osób czynnych zawodowo niż w PO. W okresie prowadzenia badania nie pracowała prawie 1/3 delegatów SLD, w PO było to niespełna 5%. Niepracujący w SLD to w dużej części osoby powyżej 60 roku życia oraz osoby w wieku przedemerytalnym (50–59) oraz osoby poniżej 29 lat.

Tabela 1. Aktywność zawodowa kadr partyjnych (%)   N = 1532, N = 488

Czy aktualnie Pan/i pracuje?	Tak	Nie
PO	95,7	4,3
SLD	69,1	30,9

Kwalifikacje respondentów, wynikające m.in. ze zdobytego wykształcenia, powinny przekładać się na wykonywany zawód. Odpowiedzi udzielone przez uczestników badania wskazują, że najwięcej osób deklaruje się jako kadra wyższa oraz pracownicy umysłowi. Niektóre wyniki mogą wydawać się jednak zaskakujące, bo przeciwstawne wobec funkcjonujących w powszechniej opinii stereotypów. Po pierwsze, SLD – w zdecydowanie większym stopniu niż PO – jawi się jako partia przedsiębiorców. Po drugie, w PO znacząco

---

[6] Np. A. Tan, *Party change and party membership decline: An exploratory analysis*, „Party Politics", vol. 3, nr 3, 1997, s. 363–377.

więcej osób wykonuje zawód rolnika (blisko 10%). Po trzecie, partia odwołująca się do programu lewicy i programowo opowiadająca się za interwencjonizmem gospodarczym, wysokimi podatkami, rozszerzoną ochroną pracowniczą ma dość znikomy odsetek robotników wśród działaczy (mniej niż 5%), za to około 1/5 jej kadry wykonuje wolny zawód lub jest przedsiębiorcami. Grupa zawodowych polityków wypełnia kategorię „inny zawód". Porównanie struktur obu partii pod względem wykonywanych zawodów znajduje się na rycinie 5.

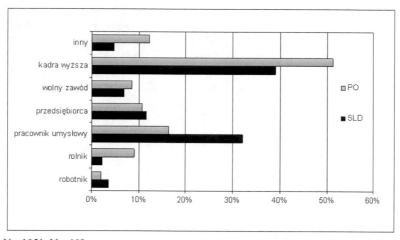

N = 1051, N = 460

Rycina 5. Porównanie struktur partii pod względem wykonywanych zawodów

Biorąc pod uwagę wysoki oraz bardzo wysoki w obu partiach odsetek osób czynnych zawodowo, nasuwa się pytanie, czy praca działaczy ma związek z polityką, czy wynika ona bezpośrednio z przynależności do partii i pełnienia w niej określonych funkcji. Można postawić hipotezę, że istnieje dodatni związek między zajmowanym miejscem w hierarchii partyjnej a wykonywaniem pracy w sferze publiczno-politycznej, która pochodzi z rekomendacji partyjnej. Choć SLD nie jest obecnie partią władzy, tzn. jego przedstawiciele nie wchodzą w skład egzekutywy na poziomie krajowym i stosunkowo rzadko na poziomie lokalnym i regionalnym, to sam fakt posiadania reprezentacji na różnych poziomach władzy politycznej umożliwia realizację strategii kadrowych i zatrudnianie partyjnych kadr.

PO jest obecna w strukturach władzy zarówno na arenie rządowej i parlamentarnej, jak też w skali regionalnej, po wyborach samorządowych w 2010 r. we wszystkich województwach. Ma w związku z tym do zaoferowania swoim członkom wiele funkcji publicznych. Powiązanie pracy zawodowej z polityką deklaruje co drugi działacz tej partii, w SLD zaś jest to zaledwie co siódma osoba. Być może jest to wyraz pragmatyzmu partyjnych kadr średniego szczebla PO, które sięgają po „przynależne im łupy polityczne". Nie dysponujemy danymi, aby zbadać, czy w poprzednich latach, gdy SLD sprawował rządy, penetracja stanowisk przez przedstawicieli tego ugrupowania była wyższa. Nie jest znana również odpowiedź na pytanie, czy PO przed 2007 r. posiadała kadry zawodowo powiązane z administracją publiczną. Co symptomatyczne jednak, szczególnie w przypadku PO powiązania zawodowe jej przedstawicieli z administracją i instytucjami publicznymi stają się ściślejsze, co wydaje się dla niej, jako partii rządzącej, priorytetem.

Tabela 2. Powiązanie wykonywanej pracy z polityką (%)
N = 1040, N = 468

Czy stanowisko zawodowe związane jest z uprawianiem polityki?	Tak	Nie
PO	45,7	54,3
SLD	15,5	84,5

W PO realizowana jest strategia, którą Wolfgang C. Muller i Kaare Strøm[7], a następnie inni zachodnioeuropejscy politolodzy nazwali *office-seeking* (ang. poszukiwanie, zdobywanie urzędów), co tłumaczyłoby wysoki odsetek osób w strukturze działaczy partii Donalda Tuska, których stanowisko pracy powiązane jest z polityką. Jak twierdzi P. Mair[8], taki status partii powoduje zmiany wewnętrznej struktury organizacyjnej, „umniejszając znaczenie partii w terenie" i wzmacniając rolę partii w instytucjach publicznych. Innymi słowy w organizacjach partyjnych punkty ciężkości zostały rozłożone między centrum

---

[7] W.C. Mueller, K. Strøm, *Policy, Office or Votes; How Political Parties in Western Europe Make Hard Decisions*, Cambridge University Press, Cambridge 1999.

[8] P. Mair, *Democracy Beyond Parties, Center for the Study of Democracy*, University of California, Irvine 2005.

partii a peryferiami w ten sposób, iż przejmowani są ci aktorzy i te zasoby, które służą potrzebom partii w parlamencie i rządzie.

W obu partiach działacze średniego szczebla pełnią rozmaite funkcje publiczne – część osób jest bezpośrednio powiązana ze stanowiskami obsadzanymi z klucza politycznego, część zaś pochodzi z wyborów bezpośrednich. Także w tym zakresie zauważalna jest różnica między PO a SLD.

Tabela 3. Funkcje publiczne pełnione przez działaczy partii (%)
N = 1519, N = 499

Czy pełni Pan/i funkcję publiczną?	Tak	Nie
PO	69,4	30,6
SLD	37,7	62,3

Blisko 70% działaczy PO piastuje jakąś funkcję publiczną, podczas gdy w SLD jest to niespełna 40%. Działacze partii rządzącej tłumaczą swój duży udział aktywnością na różnych szczeblach władzy: od funkcji politycznych na szczeblu centralnym po społeczne i zawodowe, pełnione w organizacjach pozarządowych i społecznych oraz przedsiębiorstwach komunalnych. Potwierdza to z jednej strony wysoką aktywność obywatelską, z drugiej zaś wskazuje na głęboką penetrację tych sfer przez kadry PO. W SLD natomiast zauważalny jest większy odsetek radnych szczebla lokalnego oraz osób sprawujących funkcje społeczne (m.in. ławnik, radny osiedla, sołtys) oraz funkcje w organizacjach społecznych i pozarządowych, m.in. w Ogólnopolskim Porozumieniu Związków Zawodowych, Związku Nauczycielstwa Polskiego, Demokratycznej Unii Kobiet, Radzie Emerytów i Rencistów. Jak wspomniano, Sojusz posiada mniej liczną reprezentację polityczną na szczeblu krajowym i europejskim, co można zauważyć w zestawieniu pełnionych przez działaczy funkcji (tab. 4).

Działacze zapewniają, że zasilili partyjne szeregi nie po to, aby robić polityczną karierę ani by sięgnąć po funkcje publiczne. Choć powody podjęcia takiej decyzji bywają różne, to można wyróżnić kilka kluczowych. Do głównych działacze PO zaliczają zamiar „naprawy państwa" (40% wskazań), co wskazuje na mocno propaństwowe, modernizacyjne i reformatorskie nastawienie. Drugim ważnym czynnikiem była chęć wsparcia rozwoju własnej gminy, powiatu lub regionu.

Dla aktywistów SLD z kolei najważniejsza wydawała się „możliwość zmiany społeczeństwa", przez co należy rozumieć dążenie do udoskonalania zarówno struktury społecznej, utożsamianej z socjaldemokratyczną ideą równych szans, jak i równości jako kategorii konstytuującej stosunki społeczne. Blisko jedna czwarta działaczy obu partii, wstępując w ich szeregi, swą aktywność wiązała z rozwojem lokalnym regionu.

Tabela 4. Rodzaje funkcji publicznych pełnionych przez delegatów PO i SLD

1.	Funkcje polityczne – szczebel centralny	poseł na Sejm RP senator RP poseł do Parlamentu Europejskiego
2.	Funkcje polityczne – szczebel regionalny	radny wojewódzki marszałek członek zarządu województwa
3.	Funkcje polityczne – szczebel lokalny	radny powiatowy i miejski (gminny) wójt, burmistrz, prezydent, starosta lub zastępca
4.	Funkcje w administracji publicznej	dyrektor NFZ, dyrektor agencji rządowej, dyrektor szkoły
5.	Funkcje w organizacjach pozarządowych	prezes stowarzyszenia
6.	Funkcje w spółkach komunalnych	prezes, rzecznik prasowy
7.	Funkcje w organizacjach społecznych	członek Rady OPZZ, ZNP członek OSP
8.	Funkcje społeczne	radny osiedlowy, ławnik

Między partiami widoczne są różnice w punkcie dotyczącym tradycji rodzinnych. W SLD występuje wyższa identyfikacja międzypokoleniowa z partią. Działacze lewicy znacznie częściej powoływali się na tradycję rodzinną, która stanowiła zachętę do wstąpienia do Sojuszu. Natomiast w PO czynnik ten jest marginalny, najpewniej dlatego, że jest ona partią młodą, której założyciele nadal dzierżą ster rządów w partii i w której międzypokoleniowa identyfikacja nie zdążyła się wykształcić. Więcej danych porównawczych zamieszczono na rycinie 6.

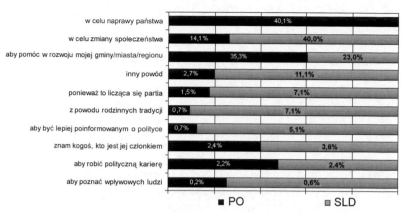

N = 1458, N = 411

Rycina 6. Najważniejsze powody wstąpienia do partii

Uczestnictwo w organizacjach społecznych i politycznych

Polska zaliczana jest do krajów słabo uzwiązkowionych, do związków zawodowych należy bowiem mniej niż 10% ogółu dorosłych Polaków. Jest to średnio ok. 16–17% wszystkich pracowników najemnych[9]. Związkowcy są najliczniej reprezentowani przez małe organizacje działające w jednym lub kilku zakładach pracy. Największymi centralami związkowymi są Niezależny Samorządny Związek Zawodowy Solidarność (NSZZ „S") oraz Ogólnopolskie Porozumienie Związków Zawodowych (OPZZ). Wśród badanych działaczy partyjnych związkowcem jest co czwarty działacz SLD oraz co dziesiąty aktywista PO. W przypadku SLD odsetek ten nie jest jednak wysoki, jeśli weźmie się pod uwagę z jednej strony propracowniczą orientację tej partii, z drugiej zaś wieloletnie – bo sięgające jeszcze koalicji wyborczej w latach 90. XX w. – bliskie związki partii z dużymi organizacjami: OPZZ i Związkiem Nauczycielstwa Polskiego (ZNP). Blisko połowa związkowców z SLD należy do jednej centrali – OPZZ. Pozostali są członkami niemal 60 innych, z ZNP na czele.

W PO liczba związkowców jest nie tylko mniejsza, ale też struktura ich przynależności związkowej jest bardziej homogeniczna, bowiem

---

[9] *Przynależność do związków zawodowych*, CBOS, komunikat z badań, luty 2008, BS/21/2008.

ponad 70% należy do jednego związku – NSZZ „S". Pozostali są
członkami Ogólnopolskiego Związku Zawodowego Lekarzy (OZZL),
ZNP i kilku mniejszych.

Tabela 5. Przynależność działaczy partyjnych do związków zawodowych (%)
N = 1532, N = 503

Czy jesteś członkiem związku zawodowego?	Tak	Nie
PO	10,5	89,5
SLD	24,7	75,3

Względnie niska liczba działaczy organizacji społecznych nie jest
zaskakująca, bo sam wskaźnik kapitału społecznego[10] w Polsce jest
niski. W 2008 r. CBOS[11] opublikowało raport z badań, z którego wynika, iż zaledwie 11% ankietowanych potwierdziło przynależność
i aktywną działalność w organizacji społecznej, samorządowej lub
politycznej.

Wcześniejsza przynależność partyjna

Pod względem przeszłości partyjnej SLD jawi się jako partia, której
członkowie są wierni jednemu szyldowi politycznemu. Niemal 97%
respondentów z tej partii wskazuje, iż nie należało do innej partii politycznej niż Socjaldemokracja Rzeczypospolitej Polskiej (SdRP)
i SLD. Pytanie dotyczyło okresu po 1989 r. i wskazuje na wysoką ho-
mogeniczność partii. W dzisiejszym Sojuszu znajdują się osoby, które
w pierwszych latach III RP zasiliły szeregi postkomunistycznej partii lewicy, czyli SdRP. Polską Zjednoczoną Partię Robotniczą (PZPR)
przekształcono w SdRP w styczniu 1990 r., co polegało między innymi na jednoczesnej zmianie nazwy, założeń programowych, struktury i przywódców. SLD inkorporował całą SdRP, zatem była to raczej
kontynuacja niż dyskontynuacja działalności organizacyjnej partii.
Utrzymana została zarówno ciągłość materialna, jak i symboliczna

---

[10] Kapitał społeczny to, według R. Putnama, „cechy organizacji społecznej, takie
jak zaufanie, normy i powiązania, które mogą poprawić sprawność społeczeństwa,
ułatwiając skoordynowane działania", R. Putnam, *Making Democracy Work: Civic
Traditions in Modern Italy*, Princeton University Press, Princeton 1993, s. 167.

[11] *Stowarzyszeniowo-obywatelski kapitał społeczny*, CBOS, komunikat z badań,
wrzesień 2008, nr 3994.

**Tabela 7. Przynależność działaczy partyjnych do PZPR lub NSZZ „S"
przed 1989 r. (%)** N = 1556, N = 504

Czy był/a Pan/i członkiem PZPR?	Tak
PO	7,1
SLD	58,9
Czy był/a Pan/i członkiem NSZZ „S"?	Tak
PO	32,1
SLD	bd.*

* W kwestionariuszu dla SLD nie zamieszczono pytania o przynależność do NSZZ „S".

W SLD istnieje bezpośrednia zależność między wiekiem a wcześniejszą przynależnością do PZPR. W grupie osób w wieku 50+, która w SLD stanowiła 2/3 wszystkich działaczy, blisko 90% należało do partii władzy PRL.

Struktura wyznaniowa

Jednym z ostatnich badanych elementów jest deklarowane wyznanie oraz zaangażowanie w praktyki religijne członków partii. Należy na początku zaznaczyć, iż żadna z liczących się w Polsce partii nie ma dziś charakteru typowo wyznaniowego ani nie odwołuje się bezpośrednio do wartości chrześcijańsko-demokratycznych lub chrześcijańsko-narodowych. Respondentom zadano pytania, czy są wierzący oraz jaką wyznają religię. Wyniki są dość zaskakujące, zwłaszcza jeśli chodzi o SLD, w którym niemal 2/3 działaczy uznaje się za osoby wierzące. Wynik ten jest zdecydowanie wyższy nie tylko w porównaniu ze strukturą wyznaniową członków zachodnioeuropejskich partii lewicowych (co wydaje się oczywiste), ale nawet w odniesieniu do ugrupowań z Europy Zachodniej, w których religia odgrywała pierwszoplanową rolę i konstytuowała konserwatywny lub chadecki światopogląd partii.

Obraz Platformy Obywatelskiej, w której aż 93% członków uważa się za osoby wierzące, nie ułatwia zaklasyfikowania tego ugrupowania do rodziny partii liberalnych lub nowoczesnej i laickiej prawicy. W partii dominuje wyznanie rzymsko-katolickie, do którego przyznaje się ponad 90% wierzących członków. Kilka procent uznaje się ogólnie za chrześcijan, bardzo sporadycznie wskazywano na religię żydowską oraz wyznanie greckokatolickie i protestanckie. W SLD mozaika religijna jest niewiele bardziej wyrazista, bowiem blisko 95% wierzących należy do Kościoła rzymskokatolickiego. Żydzi, zielonoświątkowcy, protestanci i grekokatolicy to pojedyncze przypadki. Taka struktura wyznaniowa nie odbiega od podziału religijnego występującego w całej zbiorowości Polaków, bowiem według danych GUS[16] 94% ludności to wyznawcy religii rzymskokatolickiej.

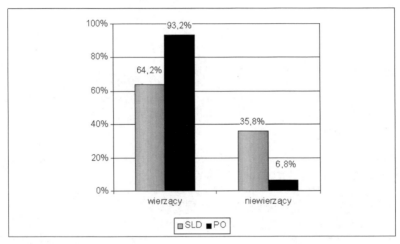

N = 1496, N = 487

Rycina 7. Wierzący i niewierzący wśród kadr PO i SLD

Badania miały sprawdzić, czy deklarowane wyznanie przekłada się na udział w praktykach religijnych. W tym zakresie widać różnice pomiędzy przedstawicielami SLD a PO. Ateistyczną lub agnostyczną postawę prezentuje ok. 1/4 działaczy lewicy, podczas gdy w PO jedynie niespełna 5% w ogóle nie uczestniczy w praktykach religijnych. Grono osób praktykujących jedynie sporadycznie (kilka razy w roku) wynosi w SLD niemal 44%, a w PO 28%. Respondenci, którzy często (co najmniej raz w miesiącu) lub bardzo często (co najmniej raz w tygodniu) uczestniczą w praktykach religijnych, stanowią 67% kadr średniego szczebla w PO i 29% w SLD. Wydaje się to wynikiem dość wysokim, biorąc pod uwagę, że według oficjalnych danych Instytutu Statystyki Kościoła Katolickiego SAC odsetek osób w parafiach uczestniczących raz w tygodniu w niedzielnej mszy świę-

---

[16] Rocznik Statystyczny GUS 2009, dane za 2008 r.

tej wynosi od 40,4 do 45,8%[17]. Podobnych danych dostarcza sondaż CBOS[18]. Z badań tego ośrodka wynika, że 49% dorosłych Polaków raz w tygodniu bierze udział w praktykach religijnych, 18% zaś kilka razy w miesiącu.

Tabela 8. Częstotliwość uczestniczenia w praktykach religijnych (%)
N = 1326, N = 480

Jak często uczestniczy Pan/i w praktykach religijnych?	SLD	PO
Przynajmniej raz w tygodniu	14,1	42,9
Przynajmniej raz w miesiącu	14,8	24,0
Kilka razy w roku	43,7	28,3
W ogóle	27,5	4,8

Z powyższych danych wynika, że struktura wyznaniowa działaczy PO bardziej odpowiada uśrednionej polskiej religijności, natomiast wśród kadr lewicy wyróżniają się dwie odrębne grupy o podobnej wielkości: osób wierzących i względnie często praktykujących oraz osób niewierzących i nieuczestniczących w praktykach religijnych.

Podsumowanie

Próbując usystematyzować cechy wspólne oraz różnice między profilem socjodemograficznym działaczy średniego szczebla PO i SLD, należy uznać, że kadry partyjne SLD pod wieloma względami pozostają heterogeniczne, co przeczy obiegowym opiniom, iż partia ta jest swoistym monolitem i posiada stygmat PZPR. PO, zachowująca wyraźny solidarnościowy rodowód, w kilku pozapolitycznych aspektach jest podobna do SLD, dzięki czemu można pokusić się o pierwsze generalizacje dotyczące profilu społecznego aktywistów partyjnych w Polsce. Nie występują cechy różnicujące, w szczególności, jeśli

---

[17] Instytut Statystyki Kościoła Katolickiego SAC, Kościół w Polsce, wskaźnik *dominicantes* w Polsce w latach 1992–2008, www.iskk.pl. Ten sam ośrodek podaje (powołując się na badanie respondentów, a nie dane uzyskane w wyniku liczenia wiernych w parafiach), że raz lub kilka razy w tygodniu we mszy świętej uczestniczy 52% osób wyznania rzymskokatolickiego w Polsce, 23,2% raz w miesiącu, a kilka razy w roku 15,6%. Dane te dotyczą jednak nie tylko osób dorosłych, ale i małoletnich w wieku 7–18 lat.

[18] *Aktualne problemy i wydarzenia*, CBOS, komunikat z badań, luty 2009, BS//34/2009.

chodzi o wiek działaczy, poziom wykształcenia, miejsce zamieszkania oraz strukturę płci.

SLD ma starszych działaczy, należy do niego większa liczba osób nieaktywnych zawodowo, jest partią, do której sympatycy przystępowali już na początku lat 90. XX w.[19] Pod tym względem kadry PO miały kilkuletni „poślizg" i – co charakterystyczne dla obu badanych partii – są słabo zasilane przez osoby, których wejście w dorosłość przypada na III RP. Może to potwierdzać założenie przedstawione na wstępie rozdziału, iż partie jako organizacje tracą na atrakcyjności.

Przygotowanie merytoryczne członków, które jest odzwierciedleniem wykształcenia, w obu partiach przewyższa średnią krajową. Do PO należy więcej osób z ukończonymi studiami niż do SLD, ale i tak wskaźniki Sojuszu przewyższają dwu- lub nawet trzykrotnie polską średnią. Wysoki poziom wykształcenia umożliwia wykonywanie przez większość respondentów różnego rodzaju pracy umysłowej. Z badań wynika, że struktury PO i SLD posiadają taki sam odsetek przedsiębiorców, a zbliżony – osób wykonujących wolne zawody. Partia lewicy bardziej powiązana jest ze związkami zawodowymi, o czym świadczy równoczesne członkostwo działaczy w partii i związku.

W Polsce 3/4 obywateli zamieszkuje wsie i małe miasta do 20 tys. mieszkańców[20]. W badanej grupie było to ok. 42% (SLD) i 36% (PO) wskazań. Można zatem stwierdzić, że kadry średniego szczebla badanych partii nadreprezentują miejskie i wielkomiejskie zbiorowości.

W obu ugrupowaniach wśród uczestników partyjnych kongresów zdecydowanie przeważali mężczyźni, co pośrednio potwierdza funkcjonowanie stereotypu płci, wynikającego z dominacji w przestrzeni publicznej i organizacjach partyjnych patriarchalnych wzorców kariery politycznej. Nie uchroniła się od tego ani partia lewicowa (SLD), ani postrzegana i określająca się jako nowoczesna partia liberalno-konserwatywna (PO).

W zakresie różnic w strukturze członkowskiej najbardziej istotne wydają się zmienne powiązane ze statusem zawodowym: pracujący/niepracujący, powiązania wykonywanej pracy z polityką, pełnienie funkcji publicznej. Wśród działaczy SLD więcej jest osób, które nie pracują lub zakończyły działalność zawodową. Ich praca jest w mniejszym stopniu niż w PO związana z polityką. Aktywność członków

---

[19] Formalnie wstępowano do SdRP, ale – jak wspomniano wcześniej – działacze postrzegają tę partię i SLD jako jedną organizację członkowską.

[20] Mały Rocznik Statystyczny Polski 2009, GUS, Warszawa.

SLD jest również niższa, jeśli chodzi o penetrację aparatu państwowo-
-publicznego, co można wytłumaczyć ograniczoną możliwością realizowania strategii kadrowych w tej przestrzeni.
Przeszłość kadr PO i SLD jawi się odmiennie: większość działaczy
Platformy nie należała do PZPR, podczas gdy jej członkami było blisko 60% badanych w SLD. Zauważalna jest ciągłość instytucjonal-
na SLD, jego członkowie praktycznie nie poszukiwali alternatyw politycznych. Pierwszy poważniejszy rozłam po lewej stronie polskiej
sceny politycznej nastąpił dopiero w 2004 r., gdy powołano do życia
Socjaldemokrację Polską (SDPL). W PO natomiast zauważalny jest
wewnętrzny podział na dwie równe pod względem liczebnym grupy:
osoby, które zapisywały się do innych partii przed wstąpieniem do
PO, oraz te, które nie miały wcześniejszego stażu partyjnego.
Ostatnią kwestią różnicującą partyjne kadry jest wyznanie i praktyki religijne. Uzyskane wyniki są w tej materii podwójnie zaskakujące. Po pierwsze dlatego, że liczba osób wierzących i praktykujących
w partii socjaldemokratycznej pozostaje na poziomie wyższym, niż
obserwuje się to nawet w wielu zachodnioeuropejskich partiach cha-
deckich lub konserwatywnych. Po drugie, osoby wierzące stanowią
w PO ponad 90% respondentów, co również jest wynikiem ponad-
przeciętnym. Silna identyfikacja religijna z jednym wyznaniem de-
terminuje względnie częste uczestnictwo w praktykach religijnych,
choć nie zawsze wpływa na poglądy społeczno-obyczajowe działaczy,
o czym mowa w dalszej części książki.

MAÏTÉ LEROY

MIĘDZY NEOLIBERALIZMEM A „TRZECIĄ DROGĄ":
POGLĄDY SPOŁECZNO-EKONOMICZNE W PO I SLD

Od 1989 r. prowadzono wiele badań, które koncentrowały się na rozwoju systemu partyjnego w Europie Środkowej. Zwracano w nich szczególną uwagę na słabości partii politycznych, najczęściej w związku z kwestią konsolidacji demokratycznej[1]. Zarządzanie przemianami demokratycznymi i gospodarczymi przez elity spowodowało utworzenie partii politycznych oderwanych od życia obywateli. Według szczególnie pesymistycznej wizji partie polityczne w Europie Środkowej stały się jedynie mniej lub bardziej krótkotrwałymi stowarzyszeniami elit politycznych, które ustalają kalendarz polityczny i programowy, lecz nie posiadają solidnej bazy członkowskiej ani znaczącego wsparcia w społeczeństwie obywatelskim. Konsekwencjami tego zjawiska jest małe przywiązanie wyborców do partii, stosunkowo niska frekwencja wyborcza, duża nieufność wobec klasy politycznej i słaba identyfikacja partyjna. W rezultacie partie polityczne w Europie Środkowej mogą napotykać trudności w realizowaniu swej funkcji mediacyjnej i integracyjnej[2].

W tym kontekście badania ankietowe przeprowadzone wśród członków SLD i PO dają doskonałą możliwość lepszego zrozumienia

---

[1] P. Lewis, *Party Structure and Organization in East-Central Europe*, Edward Elgar, Cheltenham 1996; M. Goldman, *Revolution and Change in Central and Eastern Europe: Political, Economic, and Social Challenges*, M.E. Sharpe, Armonk, New York 1997; K. Luther, F. Muller-Rommel, *Political Parties in The New Europe, Political and Analytical Challenges*, Oxford University Press, Oxford, New York 2002; S. Jungerstam-Mulders, *Post-Communist European Union Member States, Parties and Party Systems*, Ashgate, Aldershot 2006.

[2] P. Lewis, *Party Structure...*, op. cit.; Z. Enyedi, *Party politics in post-communist transition*, s. 228–238, w: R. Katz, W. Crotty (red.), *Handbook of Party Politics*, Sage Publications, London 2006; P. Lewis, *The „Third Wave" of democracy in Eastern Europe: Comparative perspectives on party roles and political development*, „Party Politics", vol. 7, nr 5, 2001, s. 543–565.

funkcjonowania partii politycznych. Nie można by było faktycznie ocenić sposobu, w jaki polskie formacje polityczne wypełniają swą rolę reprezentacyjną, nie uwzględniając głosu tych, którzy je tworzą. W tym celu należy poddać analizie poglądy polityczne delegatów i kadry średniego szczebla. Takie podejście pozwoli sprecyzować profil ideologiczny tych partii politycznych, określić poglądy oraz wspólne wartości podzielane przez osoby, które je tworzą.

Po rozdrobnieniu systemu partyjnego w latach 90. polska scena polityczna i wyborcza od 2001 r. została zmonopolizowana przez cztery formacje. Należą do nich m.in. SLD i PO. To partie rywalizujące ze sobą, zajmujące dwie przeciwległe strony w podziale na lewicę i prawicę. Delegaci ugrupowań partii również potwierdzają tę odmienność. Faktycznie, w skali od 0 (lewica) do 7 (prawica) działacze SLD plasują się mniej więcej w punkcie 2,3 (N = 1423), podczas gdy przedstawiciele PO zajmują miejsce w centroprawicy ze średnią 4,09 (N = 491). Podział lewica–prawica może jednak odzwierciedlać różne przeciwieństwa poglądów i wyrażać się zarówno w wymiarze społeczno--ekonomicznym, jak i kulturowym. W podobny sposób odnosi się on do wartości, które mogą być rozmaicie rozumiane w różnych krajach. Dlatego też zalecana jest duża ostrożność w analizie i interpretacji wyników omawianych badań.

W rozdziale tym zostanie zatem omówione podejście delegatów do różnic między lewicą a prawicą, wynikające z ich przynależności do partii. Szczegółową analizę poglądów reprezentowanych przez te formacje rozpocznie tematyka społeczno-ekonomiczna. Można się domyślać, że jest to zasadnicza różnica pomiędzy delegatami nurtu socjaldemokratycznego i neoliberalnego. Mimo to kilka zjawisk może podać w wątpliwość prymat czynników społeczno-ekonomicznych w usytuowaniu poglądów na osi lewica–prawica. Przede wszystkim niedawne przejście do gospodarki rynkowej rozbudziło w Polsce nadzieje nie tylko prawej strony sceny politycznej. Polska lewica spoglądała na kapitalizm i wolny rynek bez nieufności charakterystycznej dla partii lewicowych w Europie Zachodniej. Nie bez powodu jedną ze zidentyfikowanych przyczyn tłumaczących popularność SLD jest jego pragmatyzm programowy[3]. Partia ta w pełni wpisuje się w to,

---

[3] L. Skiba, *The people, the programme and the governments of the Democratic Left Alliance (SLD)*, w: L. Kopecek (red.), *Trajectories of the Left, Social Democratic and (Ex-)Communist Parties in Contemporary Europe: Between Past and Future*, Democracy and Culture Studies Centre, Brno 2005, s. 126.

co niektórzy nazywają kryzysem ideologicznym socjaldemokracji.
Ufność w dobrodziejstwo gospodarki rynkowej, wzmocniona wstąpieniem do UE, wydaje się zwiększać wagę innych czynników kultury politycznej niż społeczno-gospodarczych w podziale na lewicę i prawicę[4].

Zarówno w literaturze naukowej, jak i w umysłach wielu Polaków podział na lewicę i prawicę dotyczy częściej kwestii wywodzenia się z dawnej PZPR lub opozycji albo też czynników kulturowych niż poglądów partii odnoszących się do spraw społeczno-gospodarczych[5]. O ile na początku przemian występował jasny podział na zwolenników terapii szokowej oraz tych, którzy popierali stopniową liberalizację gospodarki, to dzisiaj wyznaczenie podziału między opcją lewicową a prawicową w sferze społeczno-ekonomicznej już nie jest łatwe.

Warto zauważyć, że i SLD i PO osiągają najlepsze wyniki wyborcze w tych samych regionach Polski. I tak, na przykład, podczas wyborów parlamentarnych w 2007 r. PO wygrała walkę na zachodzie kraju, dokładnie tam, gdzie w 2001 r., największy wzrost poparcia odnotował SLD i gdzie wciąż posiada znaczący elektorat (zmniejszony po 2005 r. o ok. 10%).

Ponadto, jak wspomniano w poprzednim rozdziale, profil delegatów SLD i PO jest względnie podobny. W znacznej części partie te składają się z przedstawicieli kadry kierowniczej i inteligencji, a ich delegaci raczej nie wpisują się w podział na pracodawców i pracowników.

Spostrzeżenia te skłaniają do postawienia w tym rozdziale następujących pytań:

---

[4] J. Szacki, *Liberalism After Communism*, Central European University Press, Budapest, London, New York 1995; K. Lawson, A. Rommele, A. Karasimeonov (red.), *Cleavages, Parties, and Voters. Studies from Bulgaria, the Czech Republic, Hungary, Poland and Romania*, Praerger Publishers, Westport 1999; D. Bohle, B. Greskovits, *Neoliberalism, embedded neoliberalism and neocorporatism: Towards transitional capitalism in Central-Eastern Europe*, „West European Politics", vol. 30, nr 3, 2007, s. 443–466.

[5] H. Tworzecki, *Parties and Politics in Post-1989 Poland*, Westview Press, Boulder, Colorado 1996; L. Wade, P. Lavelle, A. Groth, *Searching for voting patterns in post-communist Poland's Sejm elections*, „Communist and Post-Communist Studies", vol. 28, nr 4, s. 411–425; A. Szczerbiak, *Old and new divisions in Polish politics: Polish parties' electoral strategies and bases of support*, „Europe-Asia Studies", vol. 55, nr 5, 2003, s. 729–746.

1. Czy status społeczno-ekonomiczny jest czynnikiem określającym sposób, w jaki delegaci i aktywiści polskich partii postrzegają lewicę i prawicę?
2. Czy jest on czynnikiem spójności czy też podziału wewnętrznego w obu partiach?
3. Czy istnieje pewien determinizm socjologiczny, według którego dana kategoria delegatów przyjęłaby w większości pewną postawę na temat określonego problemu społeczno-gospodarczego?

Aby uzupełnić ten rozdział, warto na koniec przyjrzeć się temu, co delegaci uważają za priorytetowe dla ich partii, jak również sposobowi, w jaki odbierają swe ugrupowania w odniesieniu do innych partii politycznych. To porównawcze podejście między delegatami PO i SLD pozwoli na bardziej precyzyjne określenie profilu ideologicznego obu formacji.

Metoda badań

W ankietach delegaci obu formacji politycznych byli poproszeni o umiejscowienie siebie oraz swoich partii na skali określającej poglądy lewica–prawica. Aby mieć konkretny punkt widzenia na sprawy poruszane przez te partie, otrzymali oni serię pytań dotyczących rozwoju gospodarczego oraz polityki podatkowej i redystrybucyjnej. Wiele przedstawionych postulatów miało na celu ustalenie profilu ideologicznego delegatów. Na koniec zostali zapytani o najważniejsze priorytety polityczne oraz o stosunek do innych partii politycznych.

W wymiarze społeczno-ekonomicznym poproszono działaczy o ustosunkowanie się do sześciu postulatów skonstruowanych w taki sposób, aby nie było możliwości automatycznej odpowiedzi. Przy każdym z nich delegat miał do wyboru pięć możliwości odpowiedzi: całkowicie się zgadzam, raczej się zgadzam, raczej się nie zgadzam, całkowicie się nie zgadzam, trudno powiedzieć. Odpowiadając na pytania, delegaci SLD i PO mieli możliwość zaprezentowania różnych poglądów.

Następnie porównano te wyniki ze sformułowanymi oczekiwaniami w kwestii różnic między lewicą a prawicą, dotyczącymi problematyki społeczno-ekonomicznej. W ten sposób każdej odpowiedzi została przyznana jedna wartość, od 1 – dla odpowiedzi tradycyjnie spodziewanej u delegatów socjaldemokracji, do 4 – dla stanowiska oznaczającego liberalizm gospodarczy. Należy podkreślić, że ozna-

czenia te zostały wykonane według wspólnych wartości identyfikacyj-
nych, określających poglądy lewica–prawica w Europie Zachodniej.
Jest więc prawdopodobne, że odpowiedzi udzielone przez polskich
delegatów oddalą nas od tej względnie normatywnej wizji profilu
politycznego. Pytanie, czy lewica i prawica mają to samo znaczenie
w Europie Środkowej i Zachodniej, jest ciągle aktualne. Wyniki, które
zostaną dokładnie omówione później, pozwolą jednak ocenić spodzie-
waną spójność między sposobem, w jaki delegaci sytuują się na skali
lewica–prawica, a ich opiniami na tematy społeczno-ekonomiczne.

Poglądy delegatów na tematy społeczno-ekonomiczne

Pierwsze trzy pytania dotyczyły zarządzania sprawami gospodarczymi i społecznymi. Miały one na celu przeciwstawienie zwolenników liberalizmu gospodarczego obrońcom interwencjonizmu, czy to
przez państwo, czy też przez związki zawodowe. Trzy następne pytania odnosiły się do konkretnych działań podejmowanych przez polskie partie polityczne. Delegaci mieli wyrazić swoje zdanie na temat
podatku liniowego[6], polityki redystrybucyjnej poprzez zasiłki rodzinne oraz odnieść się do pomysłu wprowadzenia pracy tymczasowej
jako sposobu na walkę z bezrobociem. Te pytania poruszają najważniejsze tematy, które najpełniej pokazują różnice pomiędzy lewicą
a prawicą w problematyce społeczno-gospodarczej.
    Przed analizą odpowiedzi udzielonych przez delegatów SLD i PO
należy podkreślić pierwszą ogólną obserwację. Z przeglądu obu baz
danych wynika, że nie można ustalić żadnej korelacji między odpowiedziami delegatów na te pytania. Postawa działaczy względem jednego pytania nie pozwala więc określić, jaka będzie ona w innej kwestii społeczno-ekonomicznej. Tak samo sposób, w jaki każdy delegat
sytuuje się na skali prawica–lewica, wydaje się nie mieć decydujące-
go wpływu na jego ustosunkowanie się do różnych spraw. Nie można
było określić również analogii pomiędzy profilem delegatów (wiek,
płeć, statut, wykształcenie, miejsce zamieszkania, region) a ich postawą względem postulatów społeczno-ekonomicznych. Jeśli w sposób
statystyczny nie udaje się udowodnić związku między odpowiedzia-

---

[6] Zasada podatku liniowego polega na wprowadzeniu jednakowej stawki podatkowej w ujęciu procentowym dla wszystkich podatników, niezależnie od wysokości ich dochodów.

mi, wówczas najważniejsza wydaje się szczegółowa analiza otrzymanych wyników. Pierwsze pytanie postawione delegatom odnosi się do interwencjonizmu gospodarczego państwa lub też do jego braku. Chodzi o główny punkt, w którym oczekuje się silnej opozycji między delegatami partii socjaldemokratycznej i neoliberalnej. Ci ostatni powinni zaakceptować postulat bardzo ograniczonej roli państwa w gospodarce, podczas gdy socjaldemokraci byliby skłonni akceptować interwencjonizm państwowy. Zadane pytanie nie precyzowało charakteru interwencjonizmu państwowego. Prawdopodobnie był on postrzegany bardziej przez pryzmat funkcji kierowniczej niż arbitralnej i regulacyjnej, tym bardziej że duża część respondentów wychowała się w realiach poprzedniego systemu.

Tabela 9. Działacze PO i SLD wobec interwencjonizmu gospodarczego państwa (%)

	Im mniej państwo ingeruje w gospodarkę, tym lepiej					
	Zdecydowanie tak	Raczej tak	Raczej nie	Zdecydowanie nie	Trudno powiedzieć	N (liczba udzielonych odpowiedzi)
PO	73,7	24,9	1	0,2	0,2	502
SLD	25,3	41,9	19,4	10,2	3,2	1512

Delegaci PO doskonale wpisują się w model partii neoliberalnej. Aż 98,6% z nich popiera ograniczoną rolę państwa w gospodarce. Co ciekawe, znaczna część działaczy SLD (67,2%) podziela opinię przedstawicieli PO. 1/4 socjaldemokratów wypowiada się zdecydowanie w tej kwestii: ograniczony interwencjonizm państwowy jest dobrodziejstwem dla rozwoju gospodarczego. Czy negatywne doświadczenie wpływu państwa komunistycznego na gospodarkę jest jedynym czynnikiem, który tłumaczy ten sceptycyzm wobec działań regulacyjnych państwa? Czy też zjawisko to wpisuje się w bardziej ogólną przemianę socjaldemokracji, w której gospodarka rynkowa jest postrzegana jako nieunikniona?

Jedynie 29,6% delegatów SLD wyraża pozytywną opinię na temat większego interwencjonizmu gospodarczego państwa, a spośród nich tylko 154 delegatów ma zdecydowane zdanie na ten temat. Warto zauważyć, że ponad połowa z nich deklaruje, że nie należała do PZPR (54% do 40% dla grup mniej przychylnych interwencjonizmowi).

Wcześniejsze członkostwo w partii komunistycznej nie wydaje się w pierwszej chwili czynnikiem, który skłaniałby do przyjęcia postawy, jaką w Europie Zachodniej tradycyjnie przypisuje się lewicy.

Działacze SLD deklarujący wspieranie interwencjonizmu państwowego (30%) wypowiadają się głównie przeciwko wprowadzeniu podatku liniowego i za szczególnie istotne uważają zmniejszenie różnic w dochodach obywateli. Podzieleni są za to w kwestii wprowadzenia pracy tymczasowej jako narzędzia walki z bezrobociem. Jest to zgodne z trzema priorytetami politycznymi SLD, który dąży do: zmniejszenia bezrobocia, zagwarantowania praw socjalnych i wzrostu wynagrodzeń. Dylemat pomiędzy zagwarantowaniem praw socjalnych i zmniejszeniem bezrobocia jest dotkliwie odczuwany w odniesieniu do kwestii pracy tymczasowej. Niepewność zatrudnienia oraz pojawienie się nisko opłacanych pracowników jest zresztą wyzwaniem również dla socjaldemokratów spoza krajów byłego bloku wschodniego.

Drugie pytanie dotyczy dążenia do zmniejszenia nierówności w dochodach obywateli. Postulat ten pokrywa się w części z kwestią interwencjonizmu. Mimo to odpowiedzi na pytanie drugie różnią się od tych udzielonych na pytanie pierwsze. Ogólnie delegaci bardziej skłaniają się ku idei zmniejszania nierówności w dochodach obywateli niż ku wsparciu interwencjonizmu państwowego w gospodarce.

Tabela 10. Działacze PO i SLD wobec zmniejszenia różnic w zarobkach obywateli (%)

Należy dążyć do zmniejszenia różnic w zarobkach obywateli						
	Zdecydowanie tak	Raczej tak	Raczej nie	Zdecydowanie nie	Trudno powiedzieć	N
PO	7	24,6	44,1	22	2,4	501
SLD	47,9	34,2	12,9	3,3	1,8	1532

Spośród delegatów SLD znaczna większość opowiada się za zdecydowanymi działaniami w celu zmniejszenia różnic w dochodach (82,1%). Nie oznacza to jednak, że są bardziej skłonni zaakceptować istotny interwencjonizm państwa w sprawy gospodarcze. Za to przychylniej patrzą na porozumienie ze związkami zawodowymi w głównych kwestiach gospodarczych i społecznych (61,9% wobec 16,2% tych, którzy uważają zmniejszenie różnic w dochodach za mniej istotne [N = 234]). Związki dla części delegatów SLD odgrywają więc główną rolę w kwestii interwencjonizmu gospodarczego i ochrony praw pracowniczych. I to mimo że jedynie 24,7% delegatów do nich należy [N = 1532].

Spośród 247 delegatów SLD, uważających zmniejszenie różnic w zarobkach obywateli za mniej istotne, ogromna większość wyraziła zdecydowany sprzeciw wobec interwencjonizmu gospodarczego (80,4% [N = 240]). Są to osoby starsze od innych delegatów, zaliczające się w większości do kadry kierowniczej lub inteligencji.

W PO 1/5 delegatów nie uznaje za priorytet zmniejszenia dysproporcji w dochodach. Warto jednak zauważyć, że większość z nich nie jest stanowcza w wyrażaniu tej opinii (68,7% odpowiedzi „raczej tak" lub „raczej nie"). 158 delegatów ocenia niwelowanie różnic w zarobkach jako sprawę ważną. Co ciekawe, bez zdecydowanego entuzjazmu podchodzą oni także do kwestii wprowadzenia podatku liniowego. Zarazem sytuują się oni nieco bliżej centrum niż inni na skali lewica–prawica (ze średnią 4,12 [N = 150] wobec 4,34 dla tych, dla których nierówności w zarobkach nie były priorytetem).

Jeśli większość delegatów z obu partii jest przeciwna znacznemu interwencjonizmowi państwowemu, to są oni bardziej podzieleni, jeśli chodzi o porozumienie ze związkami zawodowymi w kwestii podejmowania ważnych decyzji społecznych i gospodarczych.

Tabela 11. Działacze partyjni wobec wpływu związków zawodowych na kwestie ekonomiczne i społeczne (%)

Związki zawodowe powinny mieć większy wpływ na podejmowanie decyzji ekonomicznych i społecznych					
	Zdecydowanie tak	Raczej tak	Raczej nie	Zdecydowanie nie	Trudno powiedzieć	N
PO	0,6	3,8	26,5	67,9	1,2	505
SLD	22,7	39,2	26,4	8,7	3,0	1487

Tylko 23 (4,4%) działaczy PO wspiera konsultacje gospodarcze i społeczne ze związkami zawodowymi, podczas gdy przynależność do nich deklaruje 10,5% delegatów [N = 503]. Delegaci SLD są podzieleni w tej kwestii. Wśród popierających wpływ związków zawodowych większość opowiedziała się przeciwko wprowadzeniu podatku liniowego[7]. Popierający wywieranie wpływu przez związki zawodowe są też zwykle przychylniej nastawieni do interwencjonizmu gospodarczego państwa (40% z nich wobec 25,3% ogółu delegatów zdecydowanie opowiadających się za interwencjonizmem państwowym [N = 916]). Do pomysłu wprowadzenia podatku liniowego, tzn. jednakowej stawki podatkowej niezależnie od wysokości dochodów podatnika, ustosunkowały się wszystkie ugrupowania polskiej sceny politycznej.

Tabela 12. Działacze partyjni wobec wprowadzenia podatku liniowego (%)

W Polsce należy wprowadzić podatek liniowy					
Zdecydowanie tak	Raczej tak	Raczej nie	Zdecydowanie nie	Trudno powiedzieć	N
PO	59,1	37,4	2	0	1,6	506
SLD	11,1	19,5	24,2	37,3	7,8	1522

Nie jest zaskoczeniem, że delegaci PO w przeważającej większości poparli ten sztandarowy projekt swojej partii.

Znacznie ponad połowa działaczy SLD wypowiedziała się przeciw temu podatkowi, ale ich opinie są mniej stanowcze. 460 delegatów (30,6%) jest raczej lub zdecydowanie za podatkiem liniowym. Warto zauważyć, że mimo większej liczby badanych odsetek niezdecydowanych w tej kwestii jest większy niż w przypadku innych postulatów, do których mieli się odnieść. Bez wątpienia ma na to wpływ złożoność pytań, ale wyniki odzwierciedlają również obraz debaty toczącej się na ten temat wewnątrz SLD. Odpowiedzi na to pytanie są zbieżne z poglądami dotyczącymi interwencjonizmu państwowego. I tak najwięksi przeciwnicy podatku liniowego znajdują się wśród mniejszości delegatów SLD, która wspiera ingerencje państwa w gospodarkę.

---

[7] Większość, czyli 79%, podczas gdy sprzeciw względem podatku liniowego wyraziło tylko 60% z tych respondentów, którzy chcieliby ograniczonego wpływu związków zawodowych na kwestie gospodarcze i społeczne (N = 870).

Warto zauważyć, iż są to osoby najlepiej wykształcone, popierające również pracę tymczasową jako narzędzie walki z bezrobociem. Wydawałoby się zatem, że w przekonaniu mniejszości działaczy SLD interwencjonizm państwowy powinien przyczynić się do osiągnięcia wzrostu gospodarczego, przy jednoczesnym zachowaniu bardziej tradycyjnego modelu socjaldemokratycznego.

Delegatów obu partii zapytano, co sądzą o tym, aby wysokość niektórych form pomocy (w tym przypadku zasiłków rodzinnych) otrzymywanej przez rodziny, była uzależniona od dochodów rodziców. Pytanie to pozwala zgłębić problem równości. W rzeczywistości zróżnicowanie pomocy w zależności od dochodów rodziców może stworzyć warunki większej równości między rodzinami, nawet jeśli podważa to częściowo zasadę, według której wszystkie dzieci są równe i mają jednakowe potrzeby.

Tabela 13. Poglądy działaczy partyjnych na uzależnienie wysokości zasiłków od wysokości dochodów (%)

Wysokość zasiłków rodzinnych powinna zależeć od wysokości dochodów rodziców					
Zdecydowanie tak	Raczej tak	Raczej nie	Zdecydowanie nie	Trudno powiedzieć	N
PO	30,7	41,1	16,8	8	3,4	501
SLD	52,2	28,3	9,6	8,3	1,6	1480

Zdecydowana większość delegatów, zarówno z SLD (80,5%), jak i z PO (71,8%), zgadza się z tą opinią, która tradycyjnie była reprezentowana przez lewą stronę sceny politycznej. Poparcie dla tego pomysłu jest większe w partii socjaldemokratycznej, natomiast taki sam procent działaczy w obu formacjach politycznych jest zdecydowanie przeciwny temu twierdzeniu. Nie widać jednak żadnej współzależności między odpowiedziami delegatów SLD i PO na to pytanie oraz między innymi poglądami na problemy społeczno-ekonomiczne. Można jedynie zauważyć, że wśród mniejszości delegatów PO, sprzeciwiających się zróżnicowaniu zasiłków rodzinnych według dochodów rodziców, połowa to mieszkańcy miast liczących powyżej 50 tys. osób, a 37,1% z nich to członkowie Solidarności. Również ich średnia jest nieco wyższa.

Ostatnie pytanie, zadane delegatom SLD i PO, jest swego rodzaju testem jednej próby (zgodności). Mieli oni odnieść się do efektywności wykorzystania pracy tymczasowej w walce z bezrobociem. Założono, że zdecydowanego poparcia dla tego pomysłu udzielą przedstawiciele prawicy, natomiast socjaldemokraci powinni wykazać się większą ostrożnością w tej kwestii. Ochrona praw socjalnych jest przecież jednym z priorytetów polityki SLD. Wpisuje się on jednak w ramy innego, obszernie przytaczanego celu, tzn. walki z bezrobociem. Warto więc poznać opinie delegatów obu formacji w tej sprawie.

Tabela 14. Działacze partyjni wobec kwestii pracy tymczasowej jako sposobu walki z bezrobociem (%)

Praca tymczasowa jest dobrym sposobem na walkę z bezrobociem					
Zdecydowanie tak	Raczej tak	Raczej nie	Zdecydowanie nie	Trudno powiedzieć	N
PO	43,1	47,4	6,7	1	1,8	496
SLD	26,5	38,9	20,3	11,2	3,1	1469

Zdecydowana większość respondentów PO popiera ten pomysł. Jedynie 38 (7,7%) działaczy jest sceptycznych wobec skuteczności pracy tymczasowej w walce z bezrobociem. Są to osoby w wieku produkcyjnym (30–49 lat) i czują się bliższe ideowo elektoratowi PiS niż inni koledzy z PO.

Członkowie SLD po raz kolejny są podzieleni w tej kwestii. Większość jednak popiera pracę tymczasową jako narzędzie walki z bezrobociem. Sceptyczni w tej sprawie delegaci SLD to w większości członkowie związków zawodowych. Warto po raz kolejny podkreślić, że wcześniejsze członkostwo w PZPR nie jest czynnikiem determinującym poglądy w tej kwestii. Prawie połowa delegatów będących przeciwnikami idei pracy tymczasowej należała w przeszłości do PZPR. Wśród tych, którzy popierają ten pomysł, byłych członków PZPR jest więcej (63%).

Tabela 15. Wprowadzenie pracy tymczasowej jako sposobu na walkę z bezrobociem

SLD	Za	Przeciw
	65,40%	31,50%
Poparcie dla interwencji państwa w gospodarkę	25,4% (916)	40,8% (439)
Konieczność zwalczania nierówności w dochodach	80,7% (938)	89% (455)
Sprzeciw wobec wprowadzenia podatku liniowego	60,1% (870)	79% (442)

Zbieżność i spójność wewnętrzna poglądów delegatów partii w sprawach społeczno-gospodarczych

Delegaci PO i SLD wyrażają odmienne opinie w kwestiach społeczno-gospodarczych. Jednak główna rozbieżność nie pojawia się w innym spojrzeniu na zachowania ekonomiczne, ale w wewnętrznej spójności tych ugrupowań. U jednych tematyka społeczno-ekonomiczna jest czynnikiem spajającym, u drugich natomiast powoduje pojawienie się wewnętrznych podziałów. Opcja neoliberalna jest punktem spójnym wśród delegatów PO. Podejmowanie środków liberalizujących gospodarkę popierają oni prawie jednogłośnie. Należy tylko dodać, że mniejszość przykłada większą wagę do zniwelowania nierówności w dochodach. I to wśród nich znajduje się przeważająca grupa, która wspiera działania związków zawodowych w podejmowaniu decyzji ekonomicznych i społecznych.

Delegaci SLD udzielają bardziej zróżnicowanych odpowiedzi. Główne pytania, pomagające wyłonić różne podgrupy w partii, odnoszą się do interwencjonizmu państwowego i konieczności zmniejszenia różnic w dochodach. Wsparcie dla funkcji interwencyjnej państwa w gospodarce jest skorelowane ze sprzeciwem wobec wprowadzenia podatku liniowego (współczynnik Pearsona: 0,29). Kwestia nierówności w dochodach, bez widocznego związku ze wsparciem dla istotnego interwencjonizmu państwowego jest pozytywnie skorelowana z pytaniem o zgodę na udział związków zawodowych w podejmowaniu decyzji na poziomie ekonomicznym i społecznym (współczynnik Pearsona: 0,31).

Po przeprowadzeniu korelacji można wyróżnić trzy duże kategorie delegatów SLD [N = 1384]. Pierwsza to mniejszościowa grupa

(28,5%), która poparła interwencjonizm gospodarczy oraz konieczność zmniejszenia różnic w dochodach obywateli. Grupa ta reprezentuje klasyczną socjaldemokrację. Wspiera rolę związków zawodowych w podejmowaniu decyzji społeczno-ekonomicznych i sprzeciwia się wprowadzeniu podatku liniowego (ponad 80% z nich). W tej kategorii delegaci dzielą się na tych, którzy zdecydowanie popierają regulacyjną funkcję państwa (135 delegatów), oraz na tych, którzy opowiadają się „raczej za" (259 delegatów). Ci ostatni są bardziej skłonni poprzeć wykorzystanie pracy tymczasowej w walce z bezrobociem (58,2%) – kwestię równo dzielącą tych pierwszych. Zaskakujące, że działacze, których chciałoby się umieścić najbliżej lewej strony sceny politycznej, czyli udzielający poparcia interwencjonizmowi państwowemu, niechętnie opowiadają się za zróżnicowaniem zasiłków rodzinnych w zależności od dochodów rodziców (75% wobec 81,3%). Do grupy tej należą ludzie młodsi; niemal 15% z nich ma poniżej 30 lat, a 27% jest w wieku 30–49 lat. Wśród innych kategorii delegatów zdecydowana większość ma ponad 50 lat (między 67 a 79%) i pracuje zawodowo. Można wśród nich zauważyć równe proporcje pomiędzy przedstawicielami kadry kierowniczej i inteligencji. Czyżby nowe pokolenie wykazywało bardziej lewicowe poglądy niż jego poprzednicy?

Druga frakcja mniejszościowa (13,9%) odstaje od reszty przedstawicieli SLD poprzez sprzeciw wobec interwencjonizmu państwowego i uznawanie za mniej ważne zniwelowanie różnic w dochodach. Jest to najbardziej prawicowy odłam wśród wszystkich członków SLD. Opowiadają się bowiem za zróżnicowaniem zasiłków rodzinnych według dochodów, są za to niechętni wpływowi związków zawodowych na decyzje gospodarcze (68% z nich jest przeciw). Niewielka mniejszość, na poziomie ok. 5,7%, wyróżnia się spośród reszty, wspierając masowo wprowadzenie podatku liniowego (67,6%) oraz wykorzystanie pracy tymczasowej w walce z bezrobociem (85,3%). Są to osoby raczej starsze, 80% z nich ma powyżej 50 lat. Połowa tej grupy pracuje jako kadra kierownicza, 1/5 zaś wykonuje wolne zawody lub określa się mianem pracowników umysłowych.

Przeważająca większość delegatów SLD (57%) przyjmuje stanowisko pośrednie. Są „zdecydowanie" lub „raczej" przeciwko istotnemu interwencjonizmowi państwowemu, ale uznają za priorytet sprawę zmniejszenia nierówności w dochodach. Ci, którzy kategorycznie wypowiadają się przeciwko interwencjonizmowi gospodarczemu, są bardziej podzieleni w kwestii wprowadzenia podatku liniowego (popiera go 45,2%) oraz wpływu związków zawodowych na decyzje gospodarcze („za" jest jedynie 59%). Jednak już mniej osób z tej kategorii akceptuje pracę tymczasową jako narzędzie walki z bezrobociem (74,9% wobec 77,5% spośród 500 delegatów będących raczej przeciwnych interwencjonizmowi państwowemu). Wśród tej grupy członków SLD najwięcej jest rolników (29,8%) oraz osób reprezentujących wolne zawody (37,9%). Większość zaś działaczy, będących umiarkowanymi przeciwnikami interwencjonizmu gospodarczego, to kadra kierownicza lub inteligencja.

SLD jawi się zatem jako partia podzielona między mniejszość wspierającą liberalizm ekonomiczny a frakcję aktywistów o silniejszym rysie socjaldemokratycznym. Różnice w opiniach delegatów tej partii nie przekładają się automatycznie na konkretne stanowisko na skali lewica–prawica. Obserwując tę skalę, widać większy rozrzut w SLD, co odzwierciedla podzielony charakter partii w kwestiach społeczno-gospodarczych.

W rzeczywistości na skali od 0 (lewica) do 7 (prawica) poglądy delegatów SLD umiejscowione są zazwyczaj w punkcie 2,3 [N = 1423], ale rozrzut odpowiedzi mieści się od skrajnej lewicy do centroprawicy (4). Delegaci PO sytuują się w centroprawicy ze średnią 4,09 [N = 491]. Zdecydowana większość z nich widzi siebie oraz rodzimą formację polityczną na poziomie 4 (50 i 59%).

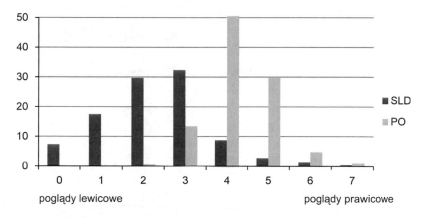

Rycina 8. Odsetek działaczy o poglądach lewicowych i prawicowych w SLD i PO (%)

Działania i sympatie polityczne

Dla pełniejszej analizy poproszono delegatów, aby podali powód, dla którego wstąpili do partii, oraz cele, które uznają za priorytetowe. Jak się okazało, ważnym uzasadnieniem podjęcia tej decyzji, zarówno w SLD (25%), jak i w PO (35,3%), jest rozwój lokalny [N_{SLD} = 1458, N_{PO} = 411]. Jednak w każdej partii główny powód jest inny: członkom PO chodzi o reformę państwa, natomiast delegaci SLD chcieliby zmieniać społeczeństwo (40% opinii). Na rycinie 9 zsumowano odpowiedzi delegatów dotyczące trzech głównych priorytetów ich partii.

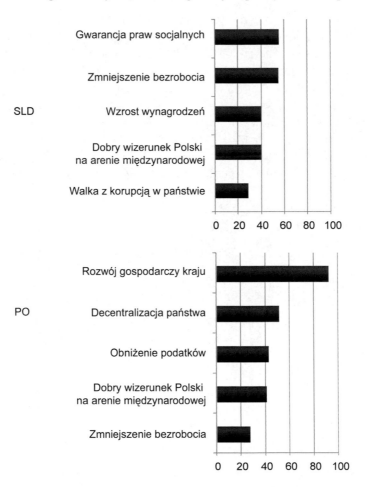

Rycina 9. Główne cele określone przez delegatów SLD i PO (%)

Reforma państwa, która dla tak wielu osób była powodem wstąpienia do PO, zajmuje drugie miejsce na liście priorytetów tej partii. Ale głównym celem, wymienionym jednogłośnie przez delegatów PO, jest rozwój gospodarczy kraju. Duża część działaczy wymienia również obniżenie podatków, a 1/4 jako ważny cel wskazuje zmniejszenie bezrobocia. Jednomyślność dotycząca problematyki społeczno-gospodarczej oraz fakt, że jest ona uważana za priorytet polityczny, świadczy o tym, że przynajmniej w przypadku PO wymiar ekonomiczny stanowi ważny czynnik identyfikacji partyjnej.

Ciekawe, że w przypadku obu partii jednym z pięciu priorytetów jest dobry wizerunek Polski na arenie międzynarodowej. Może mieć to związek ze stylem prowadzenia polityki zagranicznej przez ich wspólnego przeciwnika, czyli PiS.

Względy ekonomiczne są wrażliwym punktem również na liście priorytetów SLD. Widać, że ich niepokoje wyrażają się w różny sposób, zależnie od delegatów, którzy w większości przyjmują postawę określaną jako centroprawicową. Ważnymi celami są dla tej partii także: gwarancja praw socjalnych, walka z bezrobociem, wzrost wynagrodzeń oraz walka z korupcją w państwie.

Jako że duża część delegatów SLD i PO umiejscowiła partyjne priorytety w sferze społeczno-gospodarczej, warto zobaczyć, jak też widzą oni siebie na tle innych partii. W tym celu zostali poproszeni o wskazanie, który elektorat dowolnej polskiej partii politycznej jest najbliższy ich elektoratowi oraz które formacje polityczne mogłyby być ich potencjalnym partnerem koalicyjnym w formowaniu rządu. Ryciny 10 i 11 przedstawiają procentowo, ile razy wymieniono główne formacje polskiej sceny politycznej.

Dla przedstawicieli PO naturalnym koalicjantem pozostaje PSL (ponad połowa wskazań) (ryc. 10). Jednocześnie dużo mniej uważa, że elektorat ich partii jest bliski elektoratowi chłopskiemu, co nie zaskakuje, gdyż w badaniu wzięło udział jedynie czterech członków pracujących w sektorze rolnym. Niewiele ponad 1/5 przedstawicieli PO uważa SLD i PiS za partie o podobnym do ich elektoracie. Mandat, jakiego udzielili PO wyborcy, wydaje się skłaniać jej członków do identyfikowania się z głównymi polskimi formacjami politycznymi.

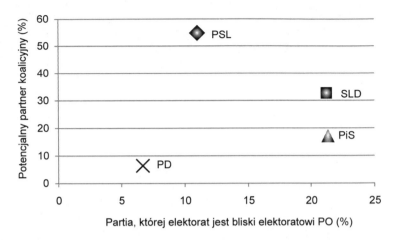

Partia, której elektorat jest bliski elektoratowi PO (%)

Rycina 10. Opinie działaczy PO na temat elektoratu bliskiego ich partii oraz potencjalnego koalicjanta

Jeśli chodzi o działaczy SLD, wskazali oni więcej partii politycznych (ryc. 11). W tej pracy wymieniono jedynie najważniejsze. Po raz kolejny głównym potencjalnym partnerem koalicyjnym jest PSL. 1/5 delegatów identyfikuje się z elektoratem tej partii, a 1/4 wymienia trzy inne partie: PO, UP i SDPL. Członkowie SLD odczuwają jednak większe pokrewieństwo ideowe z dwiema ostatnimi partiami niż z formacją neoliberalną. Mała część delegatów czuje się bliska elektoratowi PiS i Samoobrony, ale praktycznie nikt nie uważa ich za potencjalnych partnerów koalicyjnych. Równocześnie aktywiści SLD są bardziej podzieleni, jeśli chodzi o inne partie polityczne. Zaznaczają jednak przywiązanie do partii lewicowych.

Badania pokazują również, że delegaci SLD dystansują się od elektoratu PiS, podczas gdy członkowie PO wymienili w równych proporcjach te dwie formacje polityczne o zbliżonym do ich elektoracie. Odrzucenie PiS jest wyraźniejsze w SLD niż w PO, mimo że delegaci tej ostatniej również są raczej sceptyczni wobec nowej współpracy z tą partią.

Ok. 30% delegatów obu partii opowiada się za współpracą w ramach rządu, która mogłaby je zjednoczyć. Ale PO pozostaje głównym partnerem PSL, formacji, z którą już tworzyła koalicję.

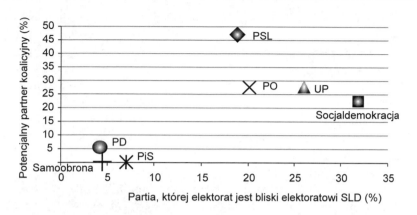

Rycina 11. Opinie działaczy SLD na temat elektoratu bliskiego ich partii oraz potencjalnego koalicjanta

Odpowiedzi na pytanie o sympatie do innych formacji politycznych odzwierciedlają te stanowiska, mimo że członkowie obu partii raczej ostrożnie wypowiadają się na temat sympatii do innych ugrupowań. Rycina 12 przedstawia średnią sympatii do różnych formacji politycznych wyrażonej przez delegatów w skali od 0 do 7. Należy zaznaczyć, że stopień ogólnie wyrażanej przez aktywistów sympatii pozostaje bardzo niski.

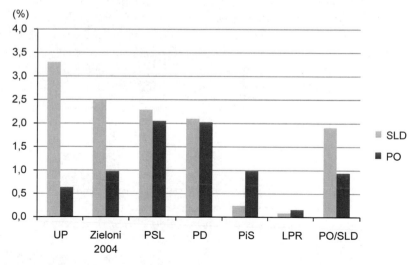

Rycina 12. Sympatie działaczy SLD i PO do innych partii

Działacze PO i SLD przyznali jednocześnie większą liczbę punktów dwóm partiom, tak zwanym centrowym, reprezentującym jednak dwie przeciwne orientacje polityczne – PSL i PD. PiS jest dużo mniej doceniane, szczególnie w SLD. Warto zauważyć, że przeciętnie członkowie PO w takim samym stopniu cenią PiS, jak polskich ekologów. Jeśli chodzi o delegatów SLD, wydaje się, iż rozdzielają swoje sympatie według podziału na lewicę i prawicę – od UP do LPR, poprzez PSL i PO. Niektórzy aktywiści PO są skłonni faworyzować swego potencjalnego partnera koalicyjnego – PSL – lub partię, z którą czują się bliżej związani ideowo – PD.

Przedstawiciele PO bardzo wyraźnie określają SLD i PiS jako konkurentów politycznych i potencjalnych partnerów. W formacji socjaldemokratycznej partia neoliberalna jest względnie ceniona, nawet jeśli preferencje delegatów kierują się w stronę innych ugrupowań socjaldemokratycznych. W przeciwieństwie do PiS, które odgrywa rolę groźnego przeciwnika. Niektórzy członkowie SLD, pytani o potencjalnych partnerów koalicyjnych dla swojej partii, oświadczają nawet: „Wszyscy, poza PiS".

Konkurencja polityczna w Polsce, zarówno dla delegatów SLD i PO, jak też dla większości obserwatorów, rozgrywa się z udziałem trzech głównych formacji politycznych. Wrogość między ugrupowaniem socjaldemokratycznym i PiS zachęca do wyborczej rywalizacji, podczas gdy PO jest bardziej pragmatyczna wobec ewentualnych koalicji rządowych. Warto zresztą zauważyć, że gdy działacze SLD chcą „zmieniać społeczeństwo" i prezentują szeroką różnorodność poglądów, przedstawiciele PO wspierają konkretne postulaty swojej partii. Ale jeśli gra wyborcza toczy się głównie między tymi trzema formacjami, to dla dwóch z nich PSL wciąż stanowi główną partię, którą należy brać pod uwagę przy tworzeniu przyszłych rządów koalicyjnych.

Podsumowanie

Wymiar społeczno-ekonomiczny odgrywa główną rolę w identyfikacji partyjnej PO i SLD. Ich delegaci różnią się na skali lewica–prawica, która przedstawia częściowo różnice w poglądach na tematy społeczno-gospodarcze.

Przywiązanie do liberalizmu ekonomicznego jest widoczne wśród delegatów PO. Można również zauważyć wpływ na ich poglądy pewnych tradycji chrześcijańsko-demokratycznych. Są one szczególnie widoczne przy poparciu, jakiego udzielają niektórzy członkowie tej partii dla zmniejszenia nierówności w dochodach oraz zasady zróżnicowania zasiłków rodzinnych w zależności od dochodów rodziców. Członkowie SLD prezentują bardziej zróżnicowany profil polityczny, rozciągający się na całe spektrum skali lewica–prawica. To zróżnicowanie znika, jeśli poznaje się priorytety partii określone przez delegatów i bliskie im inne partie polityczne. Pojawia się ono znowu, kiedy padają pytania o sprawy szczegółowe. Zadziwiające, że większość przedstawicieli SLD przyjmuje poglądy bliskie PO w kwestiach społeczno-ekonomicznych, takich jak: znikoma funkcja regulacyjna państwa, wprowadzenie podatku liniowego czy praca tymczasowa jako sposób na walkę z bezrobociem. To jednak nie przeszkadza im czuć się bardziej socjaldemokratami niż neoliberałami. Czy fakt dosyć niedawnego przestawienia gospodarki na tory rynkowe jest wystarczający, aby wytłumaczyć to zjawisko? Czy też przeciwnie – należy uwzględnić to w szerszym kontekście ewolucji socjaldemokracji w Europie? Te pytania pozostają na razie bez odpowiedzi. Młoda generacja, która w SLD wydaje się bardziej otwarta na ideały lewicy, jest ważnym czynnikiem nadającym kierunek ewolucji tej partii. Na podstawie tego badania nie jest jednak możliwe określenie wewnętrznych stosunków władzy w SLD, a także wpływu poszczególnych frakcji na organizację partii jako całości.

Różnorodność widoczna w SLD jest ciekawa pod wieloma względami. Poglądy jego delegatów muszą koniecznie zostać skonfrontowane z decyzjami programowymi partii. Tylko wtedy można uświadomić sobie role mediacyjną i integracyjną, odgrywane przez tę partię. Warto byłoby dokonać dalszej bardziej pogłębionej analizy stosunków władzy, mechanizmów i procesów wewnętrznych, w których współistnieją różne podgrupy w ramach SLD.

Przeprowadzone badanie poglądów społeczno-ekonomicznych delegatów partii nie wystarczy, aby ustalić ich profil polityczny. Konieczna będzie analiza opinii delegatów obu partii na tematy społeczno-kulturowe i obyczajowe, które może służyć do określenia ich czynnika różnicującego, czyli lepiej opisującego identyfikację partyjną.

Tłumaczyła: *Agnieszka Klisowska*

Anna Pacześniak

Konserwatyzm z prawa i lewa: system wartości partyjnych kadr

Analiza społeczno-ekonomicznych poglądów działaczy Platformy Obywatelskiej i Sojuszu Lewicy Demokratycznej przedstawiona w poprzednim rozdziale pokazuje, iż w wielu przypadkach trudno doszukać się znaczących różnic w tym zakresie między kadrami średniego szczebla obu partii. Owszem, w PO neoliberalizm gospodarczy jest powszechny i niekwestionowany, podczas gdy w SLD widoczne jest wyraźne pęknięcie i podział na rzeczników minimalnej roli państwa w gospodarce oraz na zwolenników lewicowych poglądów ekonomicznych. Rozbieżności nie są jednak na tyle duże, by uznawać je za wystarczającą podstawę dyferencjacji obu ugrupowań. Dlatego warto ze szczególną uwagą przyjrzeć się poglądom działaczy PO i SLD na kwestie społeczno-obyczajowe, ponieważ właśnie tam mogą kryć się fundamentalne rozbieżności między poglądami kadr średniego szczebla obu partii.

Kryterium aksjologiczne w badaniu postaw i poglądów jest tym ważniejsze, że o identyfikacji politycznej Polaków w stosunkowo niewielkim stopniu decyduje kryterium socjoekonomiczne, zwłaszcza na tle społeczeństw Europy Zachodniej. Podział na prawicę i lewicę ciągle jeszcze jest u nas dokonywany głównie według klucza historycznego i kulturowego. To oznacza, iż podstawowym spoiwem lojalności elektoratu jest nie tyle program gospodarczy partii (np. dotyczący kształtu systemu podatkowego czy też roli państwa w gospodarce), co raczej kwestie związane z aksjologią i światopoglądem, do których odwołują się partie i ich liderzy. Niejednokrotnie można odnieść wrażenie, że u niektórych osób decyzja o wstąpieniu w szeregi wybranej partii politycznej wynikała raczej z odczuwania bliskości wyznawanych wartości, czasem z kontaktów towarzyskich, a w najmniejszej mierze ze znajomości i akceptacji prezentowanego przez partię programu społeczno-ekonomicznego.

Znanym i często stosowanym wymiarem analiz partii, ideologii i programów politycznych, a także indywidualnych orientacji i zachowań wyborczych, jest ukształtowany ponad dwa wieki temu porządek polityczny opierający się na dychotomii prawica–lewica[1]. Teza mówiąca o aktualności takiego podziału posiada równie dużą grupę zwolenników, co przeciwników, spierających się co do jej waloru heurystycznego i klasyfikujących zjawiska społeczno-polityczne[2]. I choć zdaniem części politologów i socjologów polityki opisywanie polskiej sceny politycznej w kategoriach dychotomii prawica–lewica jest poznawczo nieefektywne, to w powszechnym, bywa że intuicyjnym przekonaniu PO sytuowana jest raczej po prawej, a SLD po lewej stronie krajowej sceny politycznej.

Poglądy kwestionujące aktualność opozycji lewicy i prawicy w Polsce zaczęły pojawiać się po zmianie ustrojowej zapoczątkowanej w 1989 r. Zdaniem Konstantego Adama Wojtaszczyka powodem dezaktualizacji tego typu analiz jest transformacja, która sprawiła, iż przebieg podstawowych linii podziałów politycznych w Polsce nie wynika ze źródeł ideologicznych, a raczej z genezy historycznej i ze stosunku do bieżących problemów politycznych[3]. Do przeciwników opisywania polskiej sceny politycznej w jednowymiarowym schemacie prawica–lewica należy także Stanisław Gebethner, dla którego określenie lewicowości i prawicowości w Polsce jest nieobiektywne. Jego zdaniem w sytuacji gdy w programach partii politycznych mamy do czynienia z przeplataniem lewicowych i prawicowych kwestii światopoglądowych oraz społeczno-gospodarczych, lewicowość i prawicowość ugrupowań to cechy przypisywane sobie przez same ugrupowania (samoidentyfikacja partii) bądź epitety nadawane im przez przeciwników politycznych[4].

---

[1] Dychotomiczny podział na lewicę i prawicę jest stosowany w państwach Europy Zachodniej, Środkowo-Wschodniej, Ameryce Łacińskiej, ale pokazuje swoje ograniczenia w przypadku Stanów Zjednoczonych, państw arabskich, byłych wschodnich republik Związku Radzieckiego.

[2] T. Godlewski, *Lewica i prawica w świadomości społeczeństwa polskiego*, Dom Wydawniczy Elipsa, Warszawa 2008, s. 9.

[3] K.A. Wojtaszczyk, *Partie i ugrupowania polityczne*, w: R. Chruściak, T. Mołdawa, K.A. Wojtaszczyk, E. Zieliński (red.), *Polski system polityczny w okresie transformacji*, Elipsa, Warszawa 1995, s. 247.

[4] S. Gebethner, *Osiemnaście miesięcy rozczłonkowanego parlamentu*, w: S. Gebethner (red.), *Polska scena polityczna a wybory*, Wydawnictwo Fundacji Inicjatyw Społecznych, Warszawa 1993, s. 29.

Norberto Bobbio w książce *Prawica i lewica* wskazuje na szerszą perspektywę krytyczną bazującą na analizie porównawczej demokracji skonsolidowanych, pisząc: „W wielokierunkowym pluralizmie wielkich społeczeństw demokratycznych, gdzie udział w grze bierze wiele partii, między którymi zachodzą zbieżności i rozbieżności pozwalające na najrozmaitsze powiązania jednych z drugimi, nie ma już miejsca na problemy w formie antytetycznej, albo–albo, prawica–lewica, jeśli nie jesteś z prawicy, to jesteś z lewicy i na odwrót"[5]. Równocześnie przytacza kontrargumenty, pisząc, iż dychotomia prawica–lewica nie redukuje opisu rzeczywistości politycznej, ponieważ „między prawicą początkową a lewicą końcową mieszczą się poglądy pośrednie, zajmujące środkową przestrzeń między dwoma skrajnymi i nazwane, jak wszyscy wiedzą, «centrum». (…) szarość nie niweczy bynajmniej różnicy między bielą i czernią, a zmierzch – różnicy między nocą i dniem"[6].

Odsyłanie do lamusa klasycznego podziału politycznej sceny wydaje się zdecydowanie przedwczesne, zarówno w Polsce, jak i innych demokracjach europejskich. To prawda, że różnice między lewicą i prawicą w XXI w. są inne niż jeszcze 20–30 lat temu, ale wcale nie musi to być utożsamiane z Bellowskim „końcem ideologii"[7]. Badania empiryczne pokazują, że w Polsce dychotomia prawica–lewica nadal jest jednym z najważniejszych kryteriów podziału polskiej sceny politycznej, elektoratu i partii politycznych. Mirosława Grabowska i Tadeusz Szawiel wskazują na istotne różnice światopoglądowe pomiędzy ludźmi prawicy i lewicy, wyrażające się m.in. w stosunku do przeszłości, demokracji i religijności[8].

Różnice między współczesną lewicą a prawicą w wymiarze aksjologicznym (o wymiarze socjoekonomicznym pisaliśmy w poprzednim rozdziale) polegają m.in. na popieraniu przez lewicę postmaterialistycznych wartości i indywidualizmu, podczas gdy prawica eksponuje rolę tradycyjnych wspólnot opartych na ograniczonych formach

---

[5] N. Bobbio, *Prawica i lewica*, przeł. A. Szymanowski, Znak, Kraków 1996, s. 28.

[6] Ibidem, s. 28–29.

[7] D. Bell, *The End of Ideology? On the Exhaustion of Political Ideas in the 1950s*, Free Press, New York 1960.

[8] M. Grabowska, T. Szawiel, *Budowanie demokracji. Podziały społeczne, partie polityczne i społeczeństwo obywatelskie w postkomunistycznej Polsce*, Wydawnictwo Naukowe PWN, Warszawa 2001.

solidaryzmu. Prawica podkreśla przywiązanie do idei ładu i porządku publicznego, aprobuje politykę surowego karania przestępców, lewica zaś akcentuje znaczenie praw i wolności obywatelskich, ideałów wolności, równości i sprawiedliwości.

Dla lewicy charakterystyczne są postawy laickie, postulat rozdzielenia Kościoła od państwa, świeckość sfery publicznej, dla prawicy natomiast poparcie dla Kościoła i religijnej etyki oraz dezaprobata dla zjawisk charakteryzujących odchodzenie od tradycyjnych wartości chrześcijańskich. Jeśli chodzi o kwestie międzynarodowe, to lewica głosi postulat uniwersalizmu, popiera proces wchodzenia w międzynarodowe struktury polityczne i gospodarcze, prawica wykazuje w tej mierze większą ostrożność z obawy przed utratą tożsamości narodowej i suwerenności[9].

Według polityków lewicowych reprezentowany przez nich system wartości cechuje wiara w postęp, możliwości rozumu ludzkiego, wrażliwość na krzywdę społeczną, tolerancja dla odmiennych, wzbogacających życie społeczne poglądów, uwzględnienie praw mniejszości, postulat szerokiej partycypacji politycznej. Te same poglądy posiadają zupełnie inną konotację – co zrozumiałe – w ocenie przeciwników ideowych. Zdaniem sympatyków prawicy współczesna lewica przyjmuje stanowisko ateizmu, relatywizmu moralnego, internacjonalizmu, równouprawnienia dewiacji, apologii praw jednostki, preferencji dla mniejszości i dewiantów, troski o przestępców, ośmieszania patriotyzmu, poparcia aborcji na koszt państwa, odrzucenia tradycji[10]. Według zwolenników prawicy podzielane przez nich wartości to religijność, moralność, przywiązanie do tradycji, patriotyzm, afirmacja ojczyzny, respektowanie zdrowych norm obyczajowych[11]. Dla

---

[9] Zob. J. Simon, *The political Left and Right – what it means in the post-communist countries and Hungary*, w: R. Markowski, E. Wnuk-Lipiński (red.), *Transformative Paths in Central and Eastern Europe*, Instytut Studiów Politycznych Polskiej Akademii Nauk, Warszawa 2001, s. 178; A. Antoszewski, R. Herbut (red.), *Leksykon politologii*, Atla 2, Wrocław 1999, s. 266–267, 443; K.A. Wojtaszczyk, *Partie polityczne w państwie demokratycznym*, Wydawnictwa Szkolne i Pedagogiczne, Warszawa 1998, s. 70; W. Sokół, M. Żmigrodzki (red.), *Współczesne partie i systemy partyjne. Zagadnienia teorii i praktyki politycznej*, Wydawnictwo Uniwersytetu Marii Curie-Skłodowskiej, Lublin 2005, s. 55.

[10] P. Boski, *O dwóch wymiarach Lewicy i Prawicy na scenie politycznej i w wartościach politycznych polskich wyborców*, w: J. Reykowski (red.), *Wartości i postawy Polaków a zmiany systemowe. Szkice z psychologii politycznej*, Wydawnictwo Instytutu Psychologii Polskiej Akademii Nauk, Warszawa 1993, s. 59.

[11] Ibidem.

sympatyków lewicy te same poglądy świadczą o zacofaniu, nienowoczesności, rygoryzmie moralnym, przyzwoleniu na dyskryminację mniejszości, wykluczaniu całych grup społecznych, obyczajowym konserwatyzmie.

Węgierski politolog John Simon w 2001 r. pisał, że w państwach Europy Środkowo-Wschodniej podział na lewicę i prawicę odnosi się do czterech głównych kwestii: stosunku do religii, stosunku do przeszłości, kontynuacji partii politycznych, siły narodowej identyfikacji[12]. Tak wtedy, jak i dziesięć lat później można na temat tej opinii dyskutować, choć trudno nie zauważyć, że w naszej części Europy wymienione kwestie silniej niż w Europie Zachodniej różnicują strony politycznego sporu.

W poniższym rozdziale zostanie przeprowadzona analiza poglądów i opinii kadr średniego szczebla PO i SLD, przedstawionych w odpowiedziach na pytania o relacje państwa z Kościołem, kwestie społeczno-obyczajowe, pozycję kobiet w życiu społecznym, stosunek do mniejszości, a następnie zagadnienia te zestawimy z polityczną samoidentyfikacją działaczy. Gwoli przypomnienia – blisko 30% respondentów z PO określiło siebie jako centrystów, 50% jako centroprawicę, a 13% jako prawicę, podczas gdy w SLD ponad połowa badanych (dokładnie 54,5%) określa swoje poglądy jako zdecydowanie lewicowe, 32,3% jako centrolewicowe, a 13,2% jako centrowe lub centroprawicowe. Warto się także zastanowić, na ile opinie i deklaracje partyjnych kadr korespondują z wizerunkiem obu badanych ugrupowań i przypisywaną im przez elektorat pozycją na osi prawica–lewica.

Relacje państwo–Kościół

Zagadnienia stosunków między państwem i kościołami (w Polsce głównie Kościołem katolickim) oraz neutralności światopoglądowej państwa należą do najważniejszych płaszczyzn ideologicznego sporu między lewicą i prawicą. Spór ten ma charakter uniwersalny, ale w Polsce przebiega w szczególnych warunkach. Nasze społeczeństwo deklaruje jeden z najwyższych poziomów religijności w Europie, co więcej – związane jest to z niemal całkowitą jednolitością wyznaniową, ponieważ blisko 95% obywateli przynależy do Kościoła katolickiego. Kościół cieszy się wysokim autorytetem wynikającym z jego roli od-

---

[12] J. Simon, *The political Left and Right...*, op. cit., s. 167.

grywanej w okresie zaborów oraz powojennych latach ograniczonej suwerenności. Autorytet ten został dodatkowo wzmocniony przez pontyfikat Jana Pawła II i przypisywane mu zasługi w stymulowaniu przemian politycznych w Europie końca lat 80. XX w. Na swoistość uwarunkowań ideologicznego sporu dotyczącego roli Kościoła w życiu publicznym wpływa także specyficzna pozycja polskiej lewicy, którą obciąża się nietolerancyjnymi, godzącymi w wolność sumienia kampaniami PZPR, co sprawia, że do dziś SLD porusza się na tym polu niepewnie i ze świadomością trudnego dziedzictwa.

Zanim przejdziemy do szczegółowego omówienia poglądów partyjnego aktywu PO i SLD na kwestie relacji państwa i Kościoła oraz neutralności światopoglądowej państwa, warto przypomnieć statystyki dotyczące proporcji osób wierzących i niewierzących oraz częstotliwości praktyk religijnych wśród badanych członków obu partii. Fakt przynależności do Kościoła nie musi determinować szczegółowych ocen na temat jego pozycji w sferze publicznej, jednak z pewnością nie jest tu zmienną obojętną. W PO 93% ankietowanych działaczy deklaruje się jako wierzący, przy czym 43% chodzi do kościoła raz na tydzień (to prawie tyle samo co w całym społeczeństwie – ok. 46%[13]), 24% raz na miesiąc, 28% kilka razy w roku. Interesujące, że tych, którzy przyznali, iż wcale nie biorą udziału w mszach świętych (do 5%), jest mniej od tych, którzy zdeklarowali się jako niewierzący (prawie 7%). Może to oznaczać odradzanie się kategorii „niewierzący praktykujący", znanej z czasów PRL i spotykanej wśród części środowisk opozycyjnych. Proporcje wierzących i niewierzących są inne w szeregach SLD, ale i tam działacze partyjni to przeważnie ludzie wierzący (64%), choć w dużej mierze rzadko praktykujący: 14% chodzi do kościoła w każdą niedzielę, 15% raz na miesiąc, 43,5% kilka razy w roku. Jako osoby niewierzące określa się 36% badanych kadr SLD, ale jedynie 27,5% respondentów nie bierze udziału w jakichkolwiek zbiorowych obrządkach religijnych, co oznacza, że do kościoła chodzi całkiem spora grupa działaczy niewierzących. Okazuje się, że osoby niewierzące, które bywają w kościele, częściej niż pozostali niewierzący badani pełnią funkcje publiczne. Każdy, kto zna

---

[13] Dane Instytutu Statystyki Kościoła Katolickiego, http://iskk.pl. W badaniach CBOS 54% ankietowanych deklaruje cotygodniowe uczestnictwo w niedzielnej mszy (zob. komunikat z badań *Wiara i religijność Polaków dwadzieścia lat po rozpoczęciu przemian ustrojowych*, marzec 2009).

praktykę piastowania stanowisk politycznych w Polsce, wie, że jest ona związana z koniecznością okazjonalnego uczestnictwa w mszach, nabożeństwach, święceniach obiektów publicznych, oficjalnych pogrzebach. Jeśli dodać do tego ważne uroczystości rodzinne (chrzciny, pierwsze komunie, śluby), łatwiej zrozumieć tę dysproporcję i niekoniecznie interpretować ją jako przejaw koniunkturalizmu lewicowych działaczy.

Mimo że poziom deklarowanej religijności działaczy PO stanowi niemal lustrzane odbicie religijności statystycznego Polaka, to stosunek kadr tej partii wobec Kościoła jest ambiwalentny. Zbyt duży jego wpływ na sferę publiczną dostrzega ponad 60% ankietowanych członków PO, podczas gdy w badaniach CBOS podobne zdanie wyraża połowa badanych[14]. Mimo dość krytycznej postawy działaczy PO wobec zjawiska wpływu Kościoła na władzę, ponad 53% partyjnych kadr PO zgadza się, by w państwowych instytucjach wisiały krzyże. Wliczanie oceny z religii do średniej na świadectwie szkolnym popiera niemal 20% działaczy PO (30% ogółu Polaków)[15].

Tabela 16. Opinie w PO i SLD na temat roli Kościoła w sferze publicznej (%)

	Tak		Nie		Nie wiem	
	PO	SLD	PO	SLD	PO	SLD
Kościół w Polsce ma zbyt duży wpływ na władzę	61,8	92,5	34,2	4,3	3,4	3,2
W szkołach, urzędach i instytucjach państwowych powinny wisieć krzyże	53,1	9,5	34,9	80,0	12.0	11,5
Ocena z religii powinna być wliczana do średniej na świadectwie	19,1	2,0	77,3	94,0	3,6	4,0

Inaczej rozkładają się opinie w Sojuszu Lewicy Demokratycznej, gdzie częściej można zaobserwować zjawisko „religijności sprywatyzowanej". Mimo wysokiego, jak na partię lewicową, wskaźnika wierzących działacze określający się jako katolicy silnie akcen-

---

[14] *Opinie o działalności Kościoła*, komunikat z badań CBOS, marzec 2007. To samo badanie pokazuje, że zdecydowana większość Polaków (86%) jest przeciwna temu, aby Kościół wypowiadał się w kwestiach politycznych.

[15] *Religia w systemie edukacji*, CBOS, komunikat z badań, wrzesień 2008.

tują konieczność świeckości państwa. Na każdych 100 przepytanych działaczy SLD 94 nie chce wliczania stopnia z religii do średniej ocen ucznia; 92 uważa, że Kościół ma w Polsce zbyt duże wpływy; 80 stanowczo sprzeciwia się krzyżom w instytucjach publicznych. Warto nieco bliżej przyjrzeć się rozkładowi odpowiedzi na pytania o relacje państwo–Kościół. W Platformie Obywatelskiej z opinią o zbyt dużym wpływie Kościoła na życie polityczne zdecydowanie zgadzają się głównie mieszkańcy wsi (co trzeci działacz mieszkający na wsi). Ze stwierdzeniem „Kościół w Polsce ma zbyt duży wpływ na władzę" z nieco mniejszym przekonaniem (odpowiedź „raczej tak") zgadza się niemal 45% mieszkańców małych miast (do 20 tys.) oraz ponad 43% mieszkańców miast powyżej 500 tys. Więcej niż co trzeci badany działacz PO, który nie zgadza się z taką opinią, mieszka w mieście średniej wielkości (50–200 tys. mieszkańców). Co ciekawe, najwięcej krytycznych sądów na temat roli Kościoła w życiu publicznym wyrażali działacze PO z województw: lubelskiego, podlaskiego, podkarpackiego, a także lubuskiego. Najmniej oponentów mieszka w województwie opolskim i wielkopolskim. Pozostałe zmienne socjodemograficzne nie różnicują w znaczący sposób udzielanych odpowiedzi.

W SLD liczba osób niezgadzających się z opinią o zbyt dużym wpływie Kościoła na politykę jest na tyle niska, że trudno uchwycić w tym przypadku korelacje. Z grupki 4,3% badanych, którzy uważają, iż wpływ Kościoła nie jest zbyt duży, większość jest w wieku od 50 do 69 lat. Nieco więcej działaczy SLD (9,5%) zgodziło się ze stwierdzeniem, iż w szkołach, urzędach i instytucjach państwowych powinny wisieć krzyże; tu również przeważają osoby w wieku 50–59 oraz 60–69 lat, mieszkające na wsi lub w małym mieście.

Kwestie społeczno-obyczajowe

Rywalizacja między prawicą i lewicą w Europie przez lata wyrażała głównie klasowy konflikt polityczny, oparty na obronie odrębnych interesów ekonomicznych pracodawców i pracobiorców. Coraz więcej politologów sugeruje jednak, że z czasem znaczenie podziału socjoekonomicznego maleje. Swoje sugestie opierają na trzech typach argumentacji. Po pierwsze, stwierdzony zostaje obiektywny fakt zmniejszania się liczby wielkoprzemysłowej klasy robotniczej i dynamicznego rozwoju nowej klasy średniej, stąd wniosek, iż – obok zwiększonej mobilności społecznej – powoduje to efekt w postaci zanikania podziału klasowego, a to z kolei skutkuje określonymi konsekwencjami w sferze politycznej[16]. Po drugie, wskazuje się na „słabnące znaczenie klasy jako politycznie istotnej grupy społecznej (...), mówi się o «zburżuazyjnieniu» klasy robotniczej, o zacieraniu się granic między klasami"[17]. Uznaje się, iż jest to efekt podnoszenia się poziomu życia, przejmowania przez klasy niższe stylu życia klasy średniej, zwiększenia się szans awansu społecznego klasy robotniczej. Trzeci typ argumentacji zasadza się na zjawisku zmiany charakteru i treści rywalizacji politycznej. Nowe kwestie polityczne (ochrona środowiska, respektowanie praw mniejszości, stosunek do integracji z Unią Europejską itd.) przyciągają uwagę różnych środowisk społecznych, a postawy i opinie wobec poruszanych problemów nie są silnie powiązane z klasą, zawodem, dochodem, statusem. Partie – zarówno z lewej, jak i prawej strony sceny politycznej – muszą zatem sukcesywnie wypracowywać swoje stanowiska wobec pojawiających się nowych kwestii politycznych. Dzisiejsi wyborcy w większym stopniu interesują się poglądami polityków i liderów partyjnych na kwestie społeczno-obyczajowe, czyniąc z nich dodatkowy wyznacznik prawicowości lub lewicowości.

Idąc tym tropem, zapytaliśmy działaczy PO i SLD o ich stosunek do aborcji, zapłodnienia pozaustrojowego (*in vitro*) i jego finansowania z budżetu państwa, kary śmierci, o opinię na temat legalizacji eutanazji, miękkich narkotyków, dostępności prezerwatyw w szkołach średnich, o preferowany model edukacji i rodziny. Uznaliśmy także, iż warto zweryfikować związek tych odpowiedzi z czynnikami społeczno-demograficznymi i strukturalnymi, takimi jak: płeć, wiek, poziom wykształcenia oraz typ miejsca i region zamieszkania, oraz zbadać zależność pomiędzy profilem identyfikacji ideologicznej w wymiarze aksjologicznym a samookreśleniem politycznym – lewicowym, prawicowym i centrowym.

---

[16] S. Bartolini, P. Mair, *Identity, Competition and Electoral Availability. The Stabilization of European Electorates 1885–1985*, Cambridge University Press, Cambridge 1990, s. 221.

[17] R. Herbut, *Podziały socjopolityczne w Europie Zachodniej. Charakter i struktura*, w: A. Antoszewski, R. Herbut, *Demokracje zachodnioeuropejskie. Analiza porównawcza*, Wydawnictwo Uniwersytetu Wrocławskiego, Wrocław 2008, s. 79.

Tabela 17. Stosunek do kwestii społeczno-obyczajowych w PO i SLD (%)

	Tak		Nie		Nie wiem	
	PO	SLD	PO	SLD	PO	SLD
Aborcja ze względów społecznych powinna być zakazana	55,8	15,0	38,5	79,0	5,6	6,0
Miękkie narkotyki należy zalegalizować	16,1	20,0	80,8	74,0	3,2	6,0
Eutanazja powinna zostać zalegalizowana	29,0	52,0	62,6	34,5	8,4	13,5
Jeśli chce się mieć dzieci, trzeba wziąć ślub	45,8	28,0	50,4	60,5	3,8	11,5
Kara śmierci powinna zostać przywrócona	37,4	43,5	59,4	45,7	2,3	9,0
Prezerwatywy powinny być dostępne w szkołach średnich	51,1	74,5	39,2	14,3	6,7	11,2
Szkoła powinna uczyć dzieci przede wszystkim dyscypliny	34,9	47,8	61,1	42,4	3,0	9,8

Lektura powyższej tabeli może budzić pewne zaskoczenie. PO – postrzegana jako partia liberalna w aspekcie ekonomicznym, ale raczej konserwatywna ze względu na propagowane wartości – jawi się w naszych badaniach jako ugrupowanie, które skupia osoby o niejednokrotnie bardziej permisywnych postawach niż SLD. Na uwagę zasługują tu dwie kwestie: stosunek do kary śmierci i preferowany model szkoły. W obu przypadkach działacze SLD wykazali się bardziej autorytarną postawą niż działacze PO, częściej zgadzając się z opinią, iż kara śmierci powinna zostać przywrócona oraz że szkoła powinna uczyć dzieci przede wszystkim dyscypliny. Opowiadanie się za karą śmierci za ciężkie przestępstwa jest niezgodne nie tylko z europejskimi normami prawnymi, ale także z ideologią lewicową. Podkreślanie przez większość badanych z SLD roli szkolnej dyscypliny to również poglądy podzielane raczej przez zwolenników nurtu prawicowo-konserwatywnego niż lewicowego.

Postulat przywrócenia kary śmierci budzi emocje nie tylko w Polsce i nie tylko wśród partyjnych aktywistów. Co jakiś czas temat ten powraca do publicznej debaty, utwierdzając zwolenników i przeciwników w słuszności własnych argumentów. Z analizy odpowiedzi udzielanych przez kadry średniego szczebla PO i SLD na temat kary ostatecznej i zestawienia ich z deklarowanymi poglądami na osi prawica–lewica wynika, że jest to kwestia, która przez większość respondentów traktowana jest praktycznie w oderwaniu od innych poglądów i wyznawanych wartości. Wśród działaczy PO i SLD będących orędownikami przywrócenia kary śmierci przeważają mieszkańcy wsi i małych miast (do 20 tys.), natomiast zdecydowany sprzeciw budzi ona u osób mieszkających w dużych (200–500 tys.) i bardzo dużych miastach (powyżej 500 tys. mieszkańców). Taka sama tendencja obserwowana jest w obu partiach. Analiza rozkładów regionalnych pokazuje, iż proporcjonalnie więcej członków PO będących zwolenników kary śmierci mieszka w województwie dolnośląskim i śląskim, działaczy SLD zaś – w województwie pomorskim, świętokrzyskim, wielkopolskim. Kiedy porówna się opinie na temat kary śmierci wyrażane przez działaczy polskich partii politycznych z odpowiedziami udzielanymi chociażby przez aktywistów partii rumuńskich (szerzej o tym w rozdziale „Działacze partyjni w Bułgarii i Rumunii: tło do polskiej analizy"), okazuje się, że tak duże przyzwolenie na przywrócenie kary ostatecznej do kodeksu karnego jest w Europie typowo polską i bułgarską specyfiką. Można zatem uznać, że zablokowanie przez polski rząd ustanowienia przez Unię Europejskiego Dnia przeciwko Karze Śmierci w październiku 2007 r. nie było przypadkiem, a przemyślaną decyzją mającą na celu przypodobanie się opinii publicznej i odzwierciedlającą poglądy dużej części politycznych elit.

Odpowiedzi udzielane na pozostałe pytania nie budzą już tak dużego zdziwienia, są jednak równie interesujące. Największe różnice między działaczami obu partii (ponad 40 pkt proc.) dotyczą stosunku do aborcji. Ponad połowa działaczy Platformy opowiada się za prawnym zakazem aborcji ze względów społecznych, podczas gdy przeciwnych temu jest niemal 80% działaczy Sojuszu. W tej materii poglądy badanych członków PO są bliższe opiniom wyrażanym przez statystycznych Polaków niż liberalne poglądy członków SLD. Z badań przeprowadzonych na zlecenie Instytutu Badań Społecznych i Międzynarodowych Fundacji im. Kazimierza Kelles-Krauza między styczniem 2007 r. a wrześniem 2009 r. na reprezentatywnej próbie Polaków wynika, że choć większość respondentów jest przeciwna obowiązującej w Polsce ustawie antyaborcyjnej – prawie 87% respondentów chce złagodzenia ustawy antyaborcyjnej – to jedynie 37,5%

uważa, że kobieta powinna mieć prawo do przerwania ciąży na życzenie, a 49,3%, że prawo to powinno przysługiwać także z przyczyn społecznych[18].

Grupa skupiająca 15% działaczy SLD uważa, iż aborcja ze względów społecznych powinna być w Polsce prawnie zakazana, większość zaś deklaruje poglądy zbliżone do centrum sceny politycznej, a nawet centroprawicowe, i mieszka na wsi lub w małym mieście. W Platformie przeciwnicy aborcji ze względów społecznych również lokowali swoje poglądy polityczne po prawej stronie lub w centrum sceny politycznej. Tak naprawdę samoidentyfikacja na osi prawica–lewica była jedyną zmienną wpływającą na ustosunkowanie się do kwestii przerywania ciąży. Niemożliwe okazało się znalezienie korelacji pomiędzy profilem społeczno-demograficznym delegatów PO i SLD (wiek, płeć, statut, wykształcenie, miejsce zamieszkania, region) a ich postawą względem aborcji.

Kolejną kwestią odnoszącą się do zdrowia i praw reprodukcyjnych, która została poruszona w badaniach, były poglądy partyjnych kadr średniego szczebla na temat finansowania zabiegów *in vitro* z budżetu państwa. Pytanie to nie znalazło się w kwestionariuszu wypełnianym przez działaczy SLD, dlatego w tym przypadku nie ma możliwości porównania odpowiedzi udzielanych przez delegatów obu ugrupowań. Uznano jednak, że poznanie opinii reprezentantów PO w tym względzie jest istotne, ponieważ pozwala się zastanowić, na ile fakt przynależności PO do Europejskiej Partii Ludowej (EPP), skupiającej m.in. partie chadeckie, wpływa na treść udzielanej odpowiedzi na tak postawione pytanie. *In vitro* budzi zastrzeżenia natury etycznej przede wszystkim Kościoła katolickiego, który jednoznacznie wypowiada się przeciwko tej metodzie walki z bezpłodnością, porównując ją do aborcji. Okazuje się, że działacze Platformy zgadzają się nie tylko na stosowanie zapłodnienia pozaustrojowego, ale także na refundowanie zabiegu z budżetu państwa. Taką opinię wyraziło ok. 70% działaczy PO, czyli mniej więcej tyle samo co w próbach ogólnopolskich. Zaobserwowano tu korelację między wyrażaniem zgody na finansowanie *in vitro* ze środków publicznych z rzadszymi praktykami religijnymi lub określaniem się jako osoba niewierząca oraz z opinią, iż Kościół katolicki ma zbyt duży wpływ na życie polityczne w Polsce.

---

[18] *Kościół – religia – aborcja – in vitro*, raport z badań, Warszawa 2009, maszynopis powielany.

Niezwykle złożonym zagadnieniem o charakterze etycznym, które stosunkowo mocno różnicuje kadry średniego szczebla obu badanych partii, jest kwestia dopuszczalności eutanazji. W Polsce jest ona prawnie zabroniona i traktowana jako przestępstwo zagrożone karą pozbawienia wolności od trzech miesięcy do pięciu lat. Zwolennicy tzw. dobrej śmierci domagają się przyzwolenia na pewne działania eutanatyczne, tak jak to uregulowano na przykład w krajach Beneluksu, z kolei przeciwnicy chcą zaostrzenia kar dla tego typu praktyk, traktując je jak zwykłe zabójstwa i domagając się wpisania zakazu eutanazji do Konstytucji RP.

Zdaniem blisko połowy Polaków (48%) lekarze powinni spełniać wolę cierpiących, nieuleczalnie chorych, którzy domagają się podania im środków powodujących śmierć. Przeciwną opinię wyraża niespełna 2/5 badanych (39%)[19]. Tym razem to poglądy działaczy SLD (52% za legalizacją eutanazji) są bliższe opinii społecznej niż zdecydowanie bardziej restrykcyjne poglądy działaczy PO (za legalizacją jest 29%, przeciw 62,6%). Okazuje się, że kadry PO rozmijają się w tym względzie również z opiniami własnego elektoratu, ponieważ 54% zwolenników PO zgadza się ze stwierdzeniem, iż lekarze powinni spełniać wolę osób nieuleczalnie chorych, domagających się podania im środków powodujących śmierć[20]. Wśród działaczy PO decydującą zmienną przy odpowiedzi na pytanie o legalizację eutanazji jest, podobnie jak w przypadku dopuszczalności aborcji, samoidentyfikacja na osi prawica–lewica: im bardziej prawicowe poglądy, tym większa niezgoda na legalizację eutanazji.

Na obraz liberalizmu lub konserwatyzmu obyczajowego partyjnych działaczy składają się również poglądy na temat modelu rodziny, a dokładnie rzecz ujmując – kwestii konieczności zawarcia związku małżeńskiego przez parę planującą posiadanie dzieci. Ze stwierdzeniem: „Jeśli chce się mieć dzieci, trzeba wziąć ślub", zgadza się 45,8% kadr Platformy i 28% kadr Sojuszu. Co ciekawe, w PO bardziej konserwatywni w tym względzie okazali się mężczyźni niż kobiety. Liberalny model rodziny (wolne związki) znajduje więcej zwolenników wśród działaczy Platformy z Dolnego Śląska i Mazowsza, podczas gdy za tradycyjnym modelem opowiadają się głównie kadry ze Śląska i Wielkopolski. W SLD najbardziej tradycyjne poglądy w tej kwe-

---

[19] *Opinia społeczna o eutanazji*, CBOS, komunikat z badań, październik 2009.
[20] Ibidem.

stii mają działacze w wieku 50–69 lat, mieszkający w województwie świętokrzyskim, lubelskim i śląskim.

Spośród wszystkich kwestii społeczno-obyczajowych poruszanych w kwestionariuszu najmniejsze przyzwolenie wśród partyjnych elit ma liberalizacja tzw. miękkich narkotyków (np. marihuany). Pomysł ten nie znalazł wielu zwolenników ani w szeregach PO (tylko 16% zwolenników), ani SLD (20% zwolenników). W PO w grupie osób, które byłyby skłonne poprzeć takie rozwiązanie, zdecydowanie nadreprezentowani są mężczyźni i mieszkańcy największych miast (powyżej 500 tys.), wśród przeciwników legalizacji przeważają mieszkańcy wsi i kobiety. Widoczne są także pewne różnice regionalne: większe przyzwolenie na legalizację miękkich narkotyków, niż wskazywałaby ogólnopartyjna średnia PO, mieszka w województwie łódzkim, małopolskim, mazowieckim i podlaskim, najwięcej zagorzałych przeciwników (odpowiedź „zdecydowanie nie") pochodzi z województwa opolskiego, śląskiego i podkarpackiego. Regionalne różnice nie znajdują pełnego potwierdzenia, gdy analizuje się rozkład odpowiedzi udzielanych podczas zjazdów SLD. W przypadku tej partii najwięcej zwolenników legalizacji miękkich narkotyków mieszka na Mazowszu (a ściślej rzecz ujmując – w Warszawie), na Śląsku, w Łódzkiem i w Wielkopolsce. Legalizację miękkich narkotyków poparli młodzi działacze SLD (do 29 roku życia), a przeciwni jej są głównie mieszkańcy wsi, miasteczek i miast z liczbą ludności 20–50 tys.

Stosunek do mniejszości i „inności"

Stosunek do mniejszości seksualnych i różnego typu „inności" (niepełnosprawności, osób innych wyznań, innego koloru skóry, innej narodowości) oraz kwestia równouprawnienia – to jedne z ważniejszych tematów podejmowanych przez europejską lewicę i ugrupowania liberalne. Ugrupowania konserwatywne i chadeckie są tą materią zainteresowane w stopniu umiarkowanym, uznając, że ogólne uregulowania prawne w systemach krajowych, międzynarodowych i ponadnarodowych, zakazujące dyskryminacji mniejszości, stanowią wystarczającą ochronę i gwarantują właściwe funkcjonowanie współczesnych społeczeństw. W badaniach założono, że również w Polsce będzie występowała rozbieżność poglądów między działaczami partii należących do różnych rodzin ideologicznych. Podejrzewano równocześnie, że do interpretacji wyników badań będzie konieczne zastosowanie pewnej korekty wynikającej ze specyfiki konserwatywnego otoczenia społecznego, w którym funkcjonują polskie partie polityczne.

Badania z ostatnich 30 lat ukazują widoczną ewolucję opinii publicznej na temat homoseksualizmu: od homofobii po tradycyjny konserwatyzm z wielkomiejskimi wysepkami liberalizmu obyczajowego. W badaniach przeprowadzonych w 1976 r. na zlecenie Ministerstwa Sprawiedliwości 70,6% warszawiaków potępiło homoseksualizm (z czego 54% potępiło go zdecydowanie), a 45% opowiedziało się za karaniem homoseksualistów[21]. W 1988 r. w badaniach CBOS wstręt do homoseksualizmu deklarowało 62% respondentów, połowa odczuwała pogardę, a co trzeci badany – obawę i strach[22]. Z badań tego ośrodka przeprowadzonych zaś w 1998 r. wynikało, że zdeklarowany homoseksualista nie miałby w Polsce szans w wyborach prezydenckich lub parlamentarnych, 64% ankietowanych nie zagłosowałoby bowiem na niego, nawet wysoko oceniając jego kompetencje[23]. Według danych CBOS z 2005 r. blisko połowa Polaków (46%) opowiadała się za prawnym usankcjonowaniem związków jednopłciowych, w których partnerzy mieliby prawa majątkowe identyczne jak te przysługujące małżonkom, ale niemal tak samo liczna grupa przeciwstawiała się sformalizowaniu związków homoseksualnych[24]. Trzy lata później podział opinii na temat legalizacji związków partnerskich osób homoseksualnych się utrzymał. 2/5 badanych (41%) opowiadało się za prawnym usankcjonowaniem związków gejów lub lesbijek i przyznaniu im takich praw majątkowych, jakie mają małżonkowie heteroseksualni, natomiast nieco większa grupa (48%) wyrażała sprzeciw. Wśród Polaków zdecydowanie przeważają osoby nieakceptujące związków małżeńskich gejów i lesbijek (76%), które byłyby zresztą sprzeczne z polską konstytucją, gdzie małżeństwo zostało określone jako związek kobiety i mężczyzny. Tylko 18% badanych nie zgłasza zastrzeżeń do pobierania się par tej samej płci[25].

Jak na tym tle sytuują się poglądy partyjnych elit Platformy Obywatelskiej i Sojuszu Lewicy Demokratycznej? Legalizacja związ-

---

[21] Za: *Krytyki Politycznej przewodnik lewicy. Idee, daty i fakty, pytania i odpowiedzi*, Stowarzyszenie im. S. Brzozowskiego, Warszawa 2007.
[22] Ibidem.
[23] *O etyce polityków*, CBOS, komunikat z badań, marzec 1998.
[24] *Akceptacja praw dla gejów i lesbijek i społeczny dystans wobec nich*, CBOS, komunikat z badań, lipiec 2005.
[25] *Prawa gejów i lesbijek*, CBOS, komunikat z bada, czerwiec 2008.

ków homoseksualnych budzi w Platformie zasadniczy opór, zdecydowanie większy niż wśród ogółu społeczeństwa. Świadczy to o jakiejś barierze kulturowej, która powoduje, że stosunek PO do homoseksualizmu nie wiąże się z umiarkowanym przyzwoleniem dla innych swobód obyczajowych.

Konserwatywni, choć w mniejszym stopniu, są również działacze SLD, spośród których prawie 1/3 badanych uważa homoseksualizm za niezgodny z naturą człowieka, a prawie połowa sprzeciwia się legalizacji małżeństw osób tej samej płci. Jest to o tyle zastanawiające, iż kierownictwo SLD niejednokrotnie deklarowało, że wzoruje się na hiszpańskich socjalistach, którzy przeprowadzili w swoim kraju rewolucję obyczajową, m.in. legalizując małżeństwa jednej płci, a przewodniczący partii Grzegorz Napieralski z zadowoleniem przyjmował publicystycznie porównania swojej osoby do José Luisa Zapatero (który zresztą okazał się najbardziej cenionym przez kadry średniego szczebla SLD politykiem zagranicznym). Trzeba jednak podkreślić, że za legalizacją jednopłciowych małżeństw opowiedziało się 37% delegatów SLD (tab. 18), czyli ponad trzy razy więcej niż delegatów PO i dwa razy więcej niż ogół społeczeństwa. Czy fakt ten można uznać za przejaw awangardy działaczy Sojuszu, czy raczej za polityczną poprawność wynikającą ze świadomości, iż kwestie dotyczące równouprawnienia mniejszości seksualnych to kanon nowoczesnej lewicy?

Tabela 18. Homoseksualizm według działaczy PO i SLD (%)

	Tak		Nie		Nie wiem	
	PO	SLD	PO	SLD	PO	SLD
Homoseksualizm jest sprzeczny z naturą człowieka	52,6	30,5	35,9	53,5	11,5	16
Małżeństwa homoseksualne powinny zostać zalegalizowane	11,8	37	81,7	48	6,4	15

W PO to mężczyźni są znacznie częściej, niżby to wynikało z rozkładu płci respondentów, wyrazicielami poglądu, że homoseksualizm jest sprzeczny z naturą człowieka. W grupie badanych zdecydowanie zgadzających się z takim stwierdzeniem stanowią 91,5%, a wśród osób, które się raczej z nim zgadzają – 92,4%. W przypadku odpo-

wiedzi na to pytanie widoczne są różnice związane z miejscem zamieszkania. Zaobserwowano korelację między opiniami o niezgodno-
ści homoseksualizmu z naturą człowieka a zamieszkiwaniem na wsi
i – konsekwentnie – przeciwnymi poglądami wśród mieszkańców
w największych miastach Polski (powyżej 500 tys.). Pogląd o tym,
iż homoseksualizm jest sprzeczny z naturą człowieka, częściej podzielają działacze Platformy z województwa lubelskiego i śląskiego,
podczas gdy najwięcej zdecydowanych przeciwników tego twierdze-
nia pochodzi z województwa kujawsko-pomorskiego i wielkopolskie-
go. Ważna jest tu również samoidentyfikacja ideologiczna działaczy
PO. Im bardziej sytuowali oni swoje poglądy po prawej stronie sceny politycznej, tym częściej uważali, że homoseksualizm nie ma nic
wspólnego z ludzką naturą. Taką samą zależność było widać w odniesieniu do pytania o możliwość legalizacji małżeństw jednopłciowych: im bardziej centrowe lub centrolewicowe poglądy działaczy
PO, tym większe przyzwolenie, im bardziej prawicowa samoidentyfikacja, tym częstszy zdecydowany sprzeciw wobec małżeństw homoseksualnych.

W SLD zmienną, która wpływała na odpowiedzi dotyczące homoseksualizmu, był wiek respondentów, samoidentyfikacja ideologiczna i miejsce zamieszkania. Pogląd, iż homoseksualizm jest sprzeczny
z naturą człowieka, najczęściej wyrażali działacze w wieku 50–59 lat,
a nie zgadzały się z nim głównie osoby młodsze: dwudziesto- i trzy-
dziestoletnie. Wśród działaczy do 39 roku życia przeważali zwolennicy usankcjonowania małżeństw jednopłciowych. Delegaci powyżej
40 roku życia wyrażali się w tej kwestii bardziej sceptycznie, choć warto zaznaczyć, że niezgoda na małżeństwa homoseksualne była większa wśród działaczy w wieku 50–59 lat niż tych w wieku 60–69 lat.
Podobnie jak w Platformie Obywatelskiej, silny wpływ na poglądy
w kwestii praw mniejszości seksualnych miało tu usytuowanie poglądów na osi prawica–lewica. Im bardziej lewicowe poglądy, tym większa akceptacja dla praw osób homoseksualnych. Najwięcej zdecydowanych przeciwników małżeństw osób tej samej płci mieszka na wsi
i w małych miastach (do 20 tys. mieszkańców), wśród respondentów
ze średnich miast (50–200 tys. mieszkańców) przeważają umiarko-
wani zwolennicy tego typu małżeństw, natomiast wśród delegatów
SLD mieszkających w największych miastach poglądy „za" i „przeciw" rozłożyły się niemal idealnie po równo. Największą otwartość,
jeśli chodzi o prawa mniejszości seksualnych, mieli w sobie delegaci

na zjazdy regionalne SLD na Dolnym Śląsku i Mazowszu, najbardziej konserwatywni pod tym względem okazali się delegaci z województwa świętokrzyskiego, lubelskiego i łódzkiego.

Stosunek do obcokrajowców i osób innej narodowości potraktowano w badaniach jako kolejny miernik otwartości i tolerancji partyjnych działaczy. Zadano zatem pytanie zarówno o kwestie dotyczące możliwości zamieszkiwania w sąsiedztwie osób innej narodowości (zrezygnowano z jej precyzowania, pozostawiając respondentom dowolność konceptualizacji sytuacji), jak i korzystania z praw politycznych i ekonomicznych przez obcokrajowców.

Tabela 19. Stosunek do osób innej narodowości w SLD i PO (%)

	Tak		Nie		Nie wiem	
	PO	SLD	PO	SLD	PO	SLD
Nie miał(a)bym nic przeciwko temu, żeby moim sąsiadem była osoba innej narodowości	81,1	72,0	17,4	25,0	1,4	3,0
Obcokrajowcom należy umożliwić zakup ziemi w Polsce	74,2	50,2	21,7	43,3	4,2	6,5
Obcokrajowcy mieszkający w Polsce od 5 lat powinni mieć prawo uczestnictwa w wyborach lokalnych	79,4	67,6	17,4	27,3	3,2	5,1

Widać, że kadry Platformy są przychylniej nastawione wobec osób innej narodowości niż działacze SLD. Co ciekawe, największy opór wśród lewicowego aktywu budzi możliwość swobodnego zakupu ziemi przez obcokrajowców (więcej jej przeciwników niż zwolenników mieszka w województwie podlaskim, kujawsko-pomorskim, świętokrzyskim, lubelskim, wielkopolskim). Był to zresztą jeden z głównych punktów spornych w negocjacjach przedakcesyjnych między Polską a UE. Tak wysoki odsetek działaczy SLD odmawiających cudzoziemcom prawa zakupu ziemi w Polsce dziwi o tyle, że w powszechnym odbiorze to nie SLD jest orędownikiem utrzymania polskości polskich gruntów, lecz Prawo i Sprawiedliwość. Co czwarty działacz tej partii odmawia także pełni praw politycznych obcokrajowcom mieszkającym na stałe w Polsce (najrzadziej tego typu odpowiedzi padały w Warszawie i Wrocławiu), również co czwarty nie życzy sobie, żeby jego sąsiadem był nie-Polak (najczęściej jest to działacz mieszkający w województwie świętokrzyskim).

Obraz przedstawiciela Platformy jest w analizowanym aspekcie bardziej jednolity, choć widać większą niż przeciętna niechęć do mieszkania w sąsiedztwie nie-Polaka wśród działaczy z województwa śląskiego. W nieco ponad 20% grupie działaczy PO, którzy są przeciwni prawu do swobodnego zakupu gruntów przez cudzoziemców, największy odsetek stanowili delegaci z województwa lubelskiego i świętokrzyskiego. W tym ostatnim regionie mieszka również najwięcej zdecydowanych przeciwników przyznania pełni praw politycznych obcokrajowcom mieszkającym na stałe w Polsce.

Kontrakt płci

Ostatnią, choć nie najmniej ważną kwestią pozostaje stosunek działaczy obu badanych partii do relacji między kobietami i mężczyznami w życiu prywatnym i publicznym, które określono mianem kontraktu płci. W Polsce przyjęło się, iż to lewica z większą determinacją dąży do równouprawnienia płci, podczas gdy ugrupowania konserwatywne widzą w tego typu działaniach zagrożenie dla naturalnego porządku świata. Obecnie idea równości płci pojawia się jednak po każdej stronie sceny politycznej i przestaje być, zwłaszcza w Europie Zachodniej, wyznacznikiem prawicowości lub lewicowości.

Trzy pytania z kwestionariusza badania dotyczyły relacji płci w sferze prywatnej, choć w kwestii dotyczącej urlopu wychowawczego mającego wpływ na funkcjonowanie kobiet na rynku pracy jedno pytanie odnosiło się do systematycznie powracającego problemu ustanowienia parytetów płci na listach wyborczych.

Największa różnica między obydwoma partiami dotyczy parytetów na listach wyborczych, których zwolennikami jest ponad połowa delegatów SLD i jedynie co piąty delegat PO (najczęściej kobieta, osoba mieszkająca na wsi lub w dużym mieście powyżej 500 tys. mieszkańców). W SLD nie należy lekceważyć niemal 40% grupy przeciwników parytetów, którzy na partyjnych zjazdach niejednokrotnie odnosili się krytycznie wobec tego typu mechanizmów wspierania kobiet w polityce, zarówno przy okazji wprowadzania poprawek do statutu partii mówiących o konieczności równoważenia udziału kobiet we władzach partii, jak i wypracowywania stanowiska partii na temat wprowadzenia parytetów do ordynacji wyborczej. Wśród przeciwników parytetów w SLD największą grupę stanowią ludzie młodzi (do 29 lat i w przedziale 30–39 lat) oraz mieszkańcy dużych miast, najwięcej zwolenników jest w grupie delegatów w wieku 60–69 lat i wśród kobiet.

Tabela 20. Relacje między kobietami i mężczyznami w sferze publicznej i prywatnej (%)

	Tak		Nie		Nie wiem	
	PO	SLD	PO	SLD	PO	SLD
Naturalne miejsce i zajęcie dla kobiety to dom i opieka nad dziećmi	14,2	12,0	81,3	80,0	4,4	8,0
Po rozwodzie sąd rodzinny powinien opiekę na dzieckiem powierzać matce	18,4	26,0	37,6	36,0	43,9	38,0
Dla dobra dziecka nie ma znaczenia, czy urlop wychowawczy bierze matka, czy ojciec dziecka	71,5	65,0	20,9	18,5	11,6	16,5
Aby ułatwić kobietom dostęp do polityki, należy wprowadzić ustawowy obowiązek umieszczania określonego procenta kobiet na listach wyborczych	21,8	57,7	73,6	39,1	4,6	3,2

Podsumowanie

Amerykański socjolog polityki Seymour Martin Lipset[26] pół wieku temu sformułował tezę, że rozwój społeczno-gospodarczy sprzyja zakorzenianiu się wartości demokratycznych. Wyrazicielami tych wartości jest przede wszystkim klasa średnia: ludzie wykształceni, wykwalifikowani, nieźle zarabiający, którzy w porównaniu z uboższymi wykazują większe zainteresowanie funkcjonowaniem demokracji, a mniejsze religią jako fundamentem swego życia, są bardziej otwarci

---

[26] S.M. Lipset, *Homo politicus: społeczne podstawy polityki*, przeł. G. Dziurdzik-Kraśniewska, Wydawnictwo Naukowe PWN, Warszawa 1998.

na reformy społeczne i skłonni podjąć walkę o środowisko naturalne. W Polsce tak rozumiana modernizacja nie jest może zbyt szybka, ale konsekwentna.

Z badań TNS OBOP[27] przeprowadzonych w lecie 2009 r. wynika, że Polacy – podobnie jak badani przez nas działacze PO i w mniejszym stopniu SLD – są raczej konserwatywni, choć w niektórych kluczowych kwestiach kulturowych, obyczajowych, etycznych mają poglądy bardziej liberalne. Są zdecydowanymi przeciwnikami formalizacji związków osób tej samej płci oraz legalizacji miękkich narkotyków, ale liberalnie podchodzą do kwestii powszechnego dostępu do metody *in vitro*, a nawet oczekują od państwa jej refundacji z budżetu centralnego.

Mimo że większość Polaków deklaruje się jako katolicy, to w kwestiach wyznawanych wartości nie są jednomyślni. Wśród zwolenników rozwiązań liberalnych, stojących w sprzeczności ze stanowiskiem Kościoła, znajdują się ludzie nie tylko niewierzący lub niepraktykujący, młodzi, wykształceni, lepiej sytuowani, przedsiębiorcy, kierownicy, urzędnicy, mieszkańcy miast, sympatycy lewicy i centrolewicy, ale także spora grupa określających się jako osoby wierzące i bliskie prawicy. W sprawie *in vitro* i antykoncepcji przeważają przeciwnicy stanowiska Kościoła, w kwestii zaś liberalizacji ustawy antyaborcyjnej i eutanazji Polacy są podzieleni mniej więcej po połowie, a jeśli chodzi o związki homoseksualne i miękkie narkotyki, popierają poglądy Kościoła. Można zatem zaobserwować raczej wybiórcze podejście do etyki katolickiej oraz niechęć do ingerencji Kościoła w życie publiczne i prywatne.

Inaczej jest z legalizacją związków homoseksualnych czy miękkich narkotyków, które postrzegane są w Polsce jako w najlepszym razie nowinka społeczna, temat traktowany niepoważnie, w najgorszym zaś jako import niebezpiecznych pomysłów z obcego kulturowo świata. Homoseksualizm i narkotyki są odbierane jako zagrożenia, od których lepiej odgrodzić się barierą prawną. Prawo do legalnej aborcji, legalizacja metody *in vitro* i eutanazja nie budzą tak silnych oporów przed dyskusją, gdyż nie można wykluczyć, że w przyszłości mogą dotknąć każdego. Polacy zdają się mówić: „Niech więc będą otwarte

---

[27] Badania przeprowadzone na zlecenie tygodnika „Polityka", przedstawione w artykule: A. Szostkiewicz, *Geje: nie, eutanazja: czemu nie*, „Polityka", nr 36, 2009, s. 29.

różne furtki. Nie muszę z nich korzystać, ale dobrze mieć jedną opcję więcej"[28].

Kiedy spojrzy się na poglądy elektoratów głównych partii politycznych, widać, że najmniej konserwatywni pod względem światopoglądowym są wyborcy PO i SLD (ryc. 13).

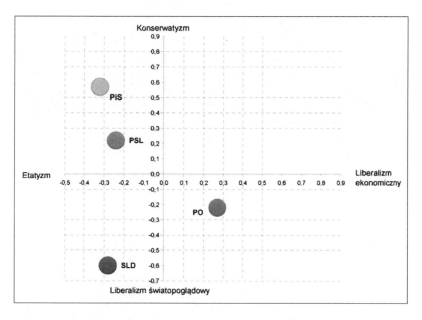

Rycina 13. Elektoraty parlamentarnych ugrupowań politycznych na osiach podziałów politycznych

Źródło: *Elektoraty głównych partii politycznych: charakterystyka poglądów,* komunikat z badań CBOS, BS/138/2009, październik 2009, s. 18.

Badania dotyczące partyjnych kadr średniego szczebla pokazują, że największe różnice między działaczami PO i SLD dotyczą postrzegania roli Kościoła w sferze publicznej, kwestii aborcji, eutanazji i praw mniejszości seksualnych. Aktyw SLD jawi się tu jako zdecydowanie bardziej progresywny i permisywny, co potwierdza silną internalizację zarówno wartości lewicy tradycyjnej, jak i przyswojenie niektórych postulatów Nowej Lewicy. Dzięki przeprowadzonym badaniom uzyskano także sporo danych, które czynią klarowny obraz lewicowego aktywu SLD i konserwatywnego pod względem wyznawanych

---

[28] Ibidem, s. 32.

wartości działacza PO bardziej zniuansowanym. Kadry Platformy – inaczej niż w odniesieniu do kwestii społeczno-ekonomicznych, gdzie panuje niemal jednomyślność – nie są monolitem i w wielu sytuacjach wykazują większy liberalizm poglądów niż kadry SLD.

To, co jest wspólne dla obu ugrupowań, to ideowa bliskość aktywnych członków partii i ich elektoratów. Delegaci na zjazdy regionalne SLD i członkowie rad regionalnych PO mają niemal identyczne poglądy jak ludzie, którzy w wyborach oddają głosy na ich ugrupowania polityczne. Partyjni aktywiści nie są awangardą zmian, trudno zatem oczekiwać, że w ich szeregach zakiełkują nowe propozycje ideowe, do których partie będą chciały później przekonać swoich zwolenników. Wydaje się raczej, że impuls do ewentualnych zmian wyjdzie od strony elektoratu lub ścisłego kierownictwa partii.

MICHAŁ JACUŃSKI

AKTYWISTA PARTYJNY JAKO BIERNY OBSERWATOR,
CZYLI KADRY ŚREDNIEGO SZCZEBLA WOBEC PARTII
I JEJ KIEROWNICTWA

Blisko dwie dekady temu badacze partii zachodnioeuropejskich[1] zdiagnozowali problemy wycofywania się członków partyjnych z aktywnej działalności, jak również bierności członków ugrupowań politycznych, wynikające z osłabienia identyfikacji członków z partią oraz erozji tradycyjnie pojmowanej polityki partyjnej. Proces ten przebiegał dwukierunkowo, wpływając negatywnie nie tylko na szeregi partyjne, ale także na gotowość obywateli do angażowania się w działalność partyjną. Ludzie rezygnowali z ubiegania się o członkostwo w ugrupowaniach, a jeśli już do nich należeli, stawali się „martwymi duszami", nie byli skłonni do poświęcania czasu i energii, których oczekuje się od członków partii. Choć poglądu tego nie podzielała część politologów[2], to w następnych latach większość badaczy europejskich systemów partyjnych oraz organizacji partyjnych potwierdzała podobne ustalenia[3].

Organizm każdej partii politycznej składa się z kilku kluczowych organów, które – każdy na swój sposób – wpływają na jego funkcjonowanie. I – podobnie jak w żywym organizmie – pewne elementy skła-

---

[1] Patrz: M.L. Zielonka-Goei, *Members marginalising themselves? Intra-party participation in the Netherlands*, „West European Politics", vol. 15, nr 2, 1992, s. 93–106; R. Katz, P. Mair, *The Membership of Political Parties in European Democracies, 1960–1990*, „European Journal of Political Research", vol. 22, nr 3, 1992, s. 329–345.

[2] M.in. P. Selle, L. Svåsand, *Membership in party organizations and the problem of decline of parties*, „Comparative Political Studies", vol. 23, nr 4, 1991, s. 459–477.

[3] Np. R. Katz, P. Mair, *How Parties Organize: Change and Adaptation in Party Organizations in Western Democracies*, Sage Publications, London 1994; A.C. Tan, *Party change and party membership decline: An exploratory analysis*, „Party Politics", vol. 3, nr 3, 1997, s. 363–377.

dowe partii politycznej są nie do zastąpienia. Bez względu na toczące się dyskusje o kondycji partii politycznych kadry partyjne średniego i wysokiego szczebla pozostają niezbędnymi elementami w strukturze partyjnej, umożliwiając realizację licznych funkcji państwowo-publicznych oraz rekrutację funkcjonariuszy publicznych. Warto zatem ustalić, czy działacze średniego szczebla partyjnego są kimś więcej niż tylko biernymi widzami realizowanej przez przywódców partii polityki, na których się jedynie oddziałuje, czy też zachowują podmiotowość i realizują w pełnym wymiarze swoje prawa członkowskie. Będę również poszukiwał odpowiedzi na pytania dotyczące rozmiaru zaangażowania w życie partyjne, oczekiwań wobec kierownictwa partii powiązanych ze wskazaniem priorytetów, które powinny być realizowane przez tę organizację, oraz aprobaty liderów partii.

Choć badanie ma charakter empiryczny, to warto nakreślić czytelnikowi status *de iure* członków badanych ugrupowań politycznych w zakresie praw i obowiązków wynikających z przynależności do organizacji partyjnej. Statut SLD wskazuje na dość szeroki katalog „równych" praw obejmujących możliwość partycypacji w różnych formach aktywności wewnątrz partii, jak i poza nią. Według zapisu art. 8. ust. 2 statutu SLD[4] członkowie mają prawo brać udział w dyskusjach wewnątrzpartyjnych, uczestniczyć w tworzeniu programu oraz założeń polityki partii i podejmować decyzje dotyczące partii. Przewidziano także prawo do kandydowania w strukturach wewnętrznych i organach władzy publicznej. Statut nakłada również kilka obowiązków na swoich członków. Są to: dbanie o dobre imię partii, pozyskiwanie sympatyków i zwolenników, aktywne uczestnictwo w działalności partii i organach, do których członek został wybrany, płacenie składek oraz „w miarę możliwości" wspieranie materialne partii. Formacja oczekuje więc od swoich członków aktywności i przywiązuje wagę do reprezentowania partii wobec otoczenia zewnętrznego.

W statucie PO[5] nieco inaczej rozłożono akcenty w zakresie katalogu praw, które określa par. 6 ust. 1–9, oraz obowiązków wymienionych w par. 7 ust. 1–7. Członkowie tego ugrupowania mają prawo m.in. do kształtowania programu partii, czynnego i biernego prawa wyborczego do władz partii, prawo zgłaszania inicjatyw politycznych lub organizacyjnych, dostęp do zebrań i posiedzeń oraz dokumentów

    [4] Statut SLD, http://www.sld.org.pl/partia/statut_sld.htm, pobranie 16.05.2010.
    [5] Statut PO, http://www.platforma.org/pl/dokumenty/statut-po/, pobranie 16.05.2010.

wewnętrznych. W porównaniu z zapisami statutu SLD dokument PO daje mniejsze możliwości współdecydowania w sprawach partyjnych, nie gwarantuje również prawa do ubiegania się o mandaty w organach władzy publicznej z ramienia partii. Zobowiązuje natomiast swoich członków do: przestrzegania statutu, płacenia składek, dbania o dobre imię partii, przestrzegania koleżeńskich relacji z innymi członkami, sumienności i wspierania celów i programu PO, jak też czynnego udziału w ich realizacji.

Przystępując do badań delegatów partyjnych[6], wskazano obszary, które zostaną poddane analizie w tym rozdziale książki:

a) zaangażowanie kadr partyjnych w życie partii, które zmierzono według trzech kryteriów: czasu poświęcanego partii, poziomu uczestnictwa w zebraniach partyjnych oraz częstotliwości i charakteru kontaktów z partią;

b) postrzeganie ścisłego kierownictwa partii oraz jego obowiązków względem członków;

c) charakterystyka partii zawarta w pozytywnych lub negatywnych określeniach wskazanych przez respondentów;

d) priorytety polityczne i programowe, które powinny być realizowane przez poszczególne partie.

Zaangażowanie w życie partii

Badacze ugrupowań politycznych podkreślają, że w wyniku procesów modernizacji partii jej struktura wewnętrzna oraz zdolność wypełniania funkcji związanych z działalnością formacji ulega profesjonalizacji, co ma bezpośredni związek z osłabieniem znaczenia tradycyjnej bazy członkowskiej, która albo rezygnuje z członkostwa w partii, albo pozostaje nieaktywna. Zarządzanie nowoczesną partią polityczną opiera się na efektywnym wykorzystaniu dostępnych zasobów oraz marginalizacji lub eliminacji elementów obciążających sprawność organizacyjną partii, przy zachowaniu pełnego potencjału do organizowania kampanii, wygrywania wyborów i rządzenia. Można szukać analogii, choć naturalnie nie w pełni tożsamej, do procesu profesjonalizacji armii, który w ostatnich latach przeprowadzono w Wojsku Polskim. Oznacza to, że ludzie zawierają z partią swoisty

---

[6] Badania prowadzone przez CEVIPOL we współpracy z Uniwersytetem Wrocławskim w latach 2008–2009. Szerzej napisano o nich we wstępie niniejszej publikacji.

„kontrakt zawodowy" wraz z objęciem mandatu z jej nominacji lub uzyskania w wyniku partyjnej rekomendacji stanowiska, np. w administracji publicznej.

Ustalenia zawarte w tym rozdziale dotyczą osób potwierdzających swoje zaangażowanie w działalność ugrupowania poprzez sam fakt udziału w zebraniu partyjnym, podczas którego wypełniano kwestionariusz ankiety. Ich udział w tego typu spotkaniach (zjeździe wojewódzkim w przypadku SLD i radzie regionalnej w przypadku PO) nie wydaje się okazjonalny, bowiem badani z obydwu partii zawsze (ponad 60% odpowiedzi) lub często (około 30%) uczestniczyli w zebraniach struktur szczebla lokalnego lub regionalnego w roku poprzedzającym badanie (ryc. 14). Nie mając wglądu w inne wewnątrzpartyjne dane o frekwencji zebrań, przyjmujemy te deklaracje jako wskaźnik deklaratywnie wysokiego zaangażowania badanych kadr obu partii.

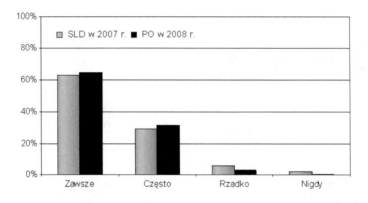

N = 1551, N = 504

Rycina 14. Uczestnictwo w zebraniach miejskich/lokalnych struktur partyjnych

Respondenci w obu partiach mieli w przeważającej większości bardzo częste lub częste kontakty z partią w roku poprzedzającym badanie. Można rozumieć przez to m.in. zebrania przewidziane statutem partii, zebrania nieobowiązkowe prowadzone w związku z wewnętrznymi wyborami władz partii i autopromocją kandydatów na szefów partii lub spotkania z osobistościami ubiegającymi się o ważne stanowiska publiczne, względnie już pełniącymi obowiązki. Są to także rozmaite narady i spotkania towarzyszące procedurom związanym z prowadzeniem naboru kandydatów na listy wyborcze, organizacji sztabów wyborczych, spotkania okolicznościowe etc.

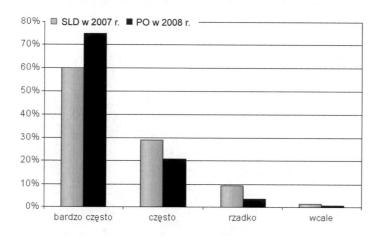

N = 1552, N = 502

Rycina 15. Kontakty członków SLD oraz PO z partią

W PO deklarowane kontakty z partią są bardziej intensywne niż w SLD; około 3/4 kadr PO wskazuje, że są one bardzo częste, podczas gdy w SLD grupa ta stanowi 60% (ryc. 15). Jeśli jednak zsumować odpowiedzi „bardzo często" i „często", to okaże się, że zarówno w przypadku działaczy SLD, jak i PO częstotliwość kontaktów jest bardzo wysoka i wynosi odpowiednio 95,6% (PO) i 88,9% (SLD). Grupa osób, które rzadko kontaktują się z partią, jest dwa razy większa w SLD niż w PO. Margines w obu partiach stanowią „działacze" niekontaktujący się z partią.

Badani zostali poproszeni o podanie informacji, ile czasu w miesiącu poświęcają partii. O ile jednak na poprzednie pytania delegaci udzielali dość podobnych odpowiedzi, o tyle odpowiedzi na pytania o czas poświęcany partii były bardziej zróżnicowane. Działaczy, którzy oddają swemu ugrupowaniu ponad 10 godzin miesięcznie, jest w PO dwukrotnie więcej niż w SLD. W Sojuszu najliczniejsza grupa aktywistów pracuje na rzecz partii 1–3 godz. w miesiącu. W obu formacjach zbliżone liczebnie są natomiast grupy osób poświęcających partii kilka godzin. Szczegółowe porównanie regionów o największej aktywności partii zamieszczono na rycinach 17 i 18. Wynika z nich, że regionami najbardziej aktywnych działaczy w PO są łódzkie, świętokrzyskie, kujawsko-pomorskie, pomorskie i zachodniopomorskie, natomiast w SLD najwięcej czasu poświęcają partii członkowie struktur województw małopolskiego, śląskiego, mazowieckiego, łódzkiego i lubelskiego.

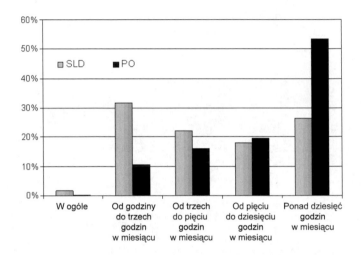

N = 1539, N = 503

Rycina 16. Ilość czasu poświęcana partii w miesiącu przez jej działaczy

Na aktywność partyjną składają się: udział w zebraniach i spotkaniach partii, posiedzenia jej organów statutowych, dyżury radnych, posłów, senatorów, zbieranie podpisów, organizacja kampanii wyborczych i wiele innych działań wynikających m.in. ze specyfiki kół partyjnych i dotychczasowej praktyki. Ich częstotliwość jest pochodną rozmiaru organizacji partyjnej, charyzmy i aspiracji liderów, dostępnych zasobów kadrowych, bazy lokalowej, opozycyjnego statusu itp. Niski poziom aktywności partyjnej może być interpretowany z jednej strony jako odzwierciedlenie profesjonalizmu formacji, która nie wymaga od swoich działaczy nadmiernego poświęcania czasu, bo zatrudnia personel w swoich siedzibach powiązanych z biurami parlamentarzystów, z drugiej zaś można jednak odczytywać to jako przejaw kryzysu i rozkładu partii, objawiający się malejącym zaangażowaniem aktywistów partyjnych.

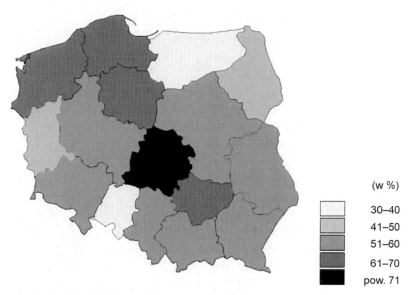

(w %)

30–40
41–50
51–60
61–70
pow. 71

– rozkład odpowiedzi dla wartości powyżej 10 godz. miesięcznie

Rycina 17. Regiony według największej aktywności działaczy PO

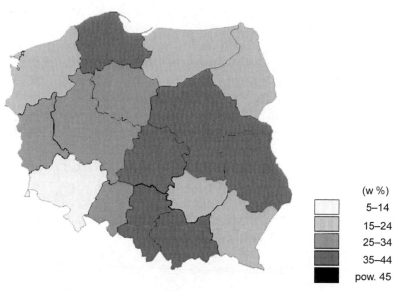

(w %)

5–14
15–24
25–34
35–44
pow. 45

– rozkład odpowiedzi dla wartości powyżej 10 godz. miesięcznie

Rycina 18. Regiony według największej aktywności działaczy SLD

Oczekiwania wobec kierownictwa partii

Rozwinięte partie polityczne zorganizowane są w sposób hierarchiczny i wielopoziomowy. Zarówno SLD, jak i PO, będąc partiami parlamentarnymi, mają jednorodną strukturę określoną statutem partyjnym. Sojusz posiada jednostki organizacyjne na czterech poziomach. Najniższym szczeblem jest organizacja gminna lub miejska, następnie powiatowa i wojewódzka. Na szczycie scentralizowanej struktury znajduje się organizacja krajowa. Organy partii na poszczególnych szczeblach mają wyłącznie kolegialny charakter i pełnią funkcje uchwałodawcze (np. rada, kongres, konwencja, zjazd) oraz wykonawcze (np. zarząd, komitet wykonawczy). Władza w PO horyzontalnie podzielona jest pomiędzy organy kolegialne (są nimi, w zależności od szczebla: zjazd lub konwencja, rada, zarząd, sąd koleżeński, komisja rewizyjna) oraz organy indywidualne (przewodniczący w powiecie, regionie lub przewodniczący partii). Wertykalnie władza w PO podzielona jest między trzy struktury: powiatową, regionalną oraz krajową. Podstawową komórką organizacyjną w obu partiach jest koło.

Każdy ze szczebli partii odpowiada za jej działania na swoim terenie, ale też ma oczekiwania wobec przedstawicieli wyższych szczebli. Kierując do członków partii pytanie, jakie obowiązki ma wobec nich kierownictwo partii, założono, że mimo różnic w strukturze organów SLD i PO delegaci odnosić się będą do powinności najwyższych władz szczebla krajowego względem niższych poziomów. Respondenci mieli do wyboru jedną z pięciu odpowiedzi w formie półotwartej kafeterii. Uznano, iż w przypadku, gdy działacze partii wskazywaliby podobne odpowiedzi, niewypowiedziany zarzut o niewypełnienie określonych zadań przez partyjną centralę należy potraktować poważnie. Po uszeregowaniu odpowiedzi okazało się, że większość działaczy w SLD i PO uważa, iż władze partii powinny w większym stopniu uzgadniać podejmowane przez siebie decyzje ze strukturami niższego szczebla. Twierdzi tak aż 60% badanych w PO i 45% w SLD (ryc. 19). Deklarowane zapotrzebowanie na zwiększenie partycypacji i współdecydowania w zakresie prowadzenia polityki przez partię może być wynikiem oderwania działań partyjnej „awangardy" od działań niższych szczebli. Ta dość mocno zasygnalizowana potrzeba nie dotyczy bieżącej polityki, ale spraw najważniejszych, w podejmowaniu których – jak widać – kadry średniego szczebla mają poczucie dość małego wpływu na życie partii. Powstanie „grupy trzymającej władzę" w PO, w której znaleźli się założyciele partii i ścisłe grono współpracowników Donalda Tuska oraz Grzegorza Schetyny, ujawniło się w trakcie tzw. afery hazardowej w Polsce w 2009 r. Skrywana przed opinią publiczną linia podziału w partii przebiegała między zwolennikami premiera i przewodniczącego partii Donalda Tuska a akolitami wicepremiera i sekretarza generalnego partii Grzegorza Schetyny. W SLD konflikt wewnętrzny towarzyszył zmianie pokoleniowej, do której doszło po wybuchu tzw. afery Rywina. Rywalizacja przedstawicieli młodego pokolenia: Wojciecha Olejniczaka i Grzegorza Napieralskiego, nabrała charakteru gorącego sporu dotyczącego nie tyle różnic osobowościowych, co kierunku działań partii i realizacji programu odbudowy wizerunku lewicy.

Oczekiwania wobec kierownictwa partii można powiązać z postrzeganiem samego wizerunku ugrupowania. Jeśli zachowania liderów będą zgodne z wyobrażeniem członków partii o niej samej, to należy oczekiwać aprobaty dla prowadzonych działań. Jeśli zaś elementy te nie będą spójne, to będzie dochodzić do dysonansu poznawczego i dezaprobaty wobec działalności liderów. Warto przy okazji zaznaczyć, że w dużych zbiorowościach trudno o jednomyślność, a głosy krytyczne pozwalają partyjnej „górze" na refleksję nad własną działalnością, jak też nad jakością zbudowanych relacji.

W badaniu spytano członków o spontaniczne określenie partii dowolnymi przymiotnikami. Ponieważ odpowiedzi nie były wspomagane, możliwe było wskazanie zarówno pozytywnych, jak i negatywnych atrybucji. Aby uzyskać ranking cech partyjnych, poproszono badanych o pogrupowanie odpowiedzi od pierwszorzędnych do trzeciorzędnych. Powstałą w ten sposób listę cech przedstawiają tabele 21 i 22. Znalazły się w nich najczęściej wskazywane przymiotniki określające obie partie. Dla działaczy PO jest ona przede wszystkim otwarta i nowoczesna oraz liberalna. SLD jest z kolei odbierany przez swoich członków jako lewicowy, prospołeczny i demokratyczny. W obu przypadkach dominowały cechy wskazujące na usytuowania ideowe partii (PO – liberalna, SLD – lewicowy), sposób działania (np. konsekwentna, pragmatyczna), elementy aksjologiczne (m.in. uczciwa, tolerancyjna), jak też charakter działalności (demokratyczna, otwarta).

Nieliczne wskazania dotyczą cech pejoratywnych. Wśród działaczy PO negatywne cechy partii to: niesprawna, niezdecydowana, niedemokratyczna, niekonsekwentna, autokratyczna, dyktatorska, bezideowa, mało wyrazista, efekciarska. Wskazują one – i to można odczytywać jako główne zarzuty wobec osób z przywództwa partii – na elementy centralizacji, braku demokracji wewnętrznej, powiązanych z niejednoznaczną orientacją programowo-polityczną. W przypadku SLD określenia pejoratywne mają bezpośredni związek z sytuacją panującą wśród partii lewicowych w Polsce i dobrze oddają stan napięcia, jaki towarzyszył badaniom. Respondenci uznali bowiem, że partia jest przede wszystkim: podzielona, rozbita, skonfliktowana, bezideowa, mało wyrazista, niezdecydowana, osłabiona, bierna, pogrążona w apatii, zagubiona.

Tabela 21. Określenia nadane partii przez kadry średniego szczebla PO

Pierwszorzędne	Drugorzędne	Trzeciorzędne
otwarta	uczciwa	obywatelska
liberalna	skuteczna	odpowiedzialna
nowoczesna	konsekwentna	europejska

Tabela 22. Określenia nadane partii przez kadry średniego szczebla SLD

Pierwszorzędne	Drugorzędne	Trzeciorzędne
lewicowa	pragmatyczna	sprawiedliwa
prospołeczna	racjonalna	otwarta
demokratyczna	tolerancyjna	równa

Jak wynika z badania, bolączką partii jest komunikacja wewnętrzna, której słabość wskazuje co czwarty respondent w PO oraz co szósty w SLD. Przy czym wydaje się, że partie dysponują wystarczającymi narzędziami i *know-how* w zakresie prowadzenia komunikacji pomiędzy swoimi wewnętrznymi strukturami. Przyjmując nawet, że komunikowanie w partii odpowiada modelowi kaskadowemu, opartemu na jednostronnym przepływie informacji: z góry na dół po każdym ze szczebli organizacji, to z uzyskanych danych wynika, iż realizacja minimum tego postulatu powiązana jest z pierwszym omówionym czynnikiem – partycypacją w wewnątrzpartyjnym procesie decyzyjnym, którego podstawą wydaje się dostęp do informacji. Władze obu partii podjęły wewnętrzne inicjatywy w celu usprawnienia procesu komunikowania. W PO obejmują one akcje informacyjne towarzyszące zbieraniu podpisów, kampanii wyborczej, szczególnym okazjom (np. „100 dni rządu Donalda Tuska"), jak też wydawanie partyjnej gazety, prowadzenie forum internetowego, zamieszczanie sondaży na stronie internetowej itp. W SLD wprowadzono natomiast narzędzia interaktywne, jak kanał telewizyjny TV SLD dostępny online, moderowane grupy na portalach społecznościowych, platformy blogerskie itp. Udzielone w ankiecie odpowiedzi wskazują jednak na to, że wprowadzone rozwiązania nie są wystarczające i wymagają od kierownictwa, szczególnie PO, nowych pomysłów; działacze pozostają niedoinformowani.

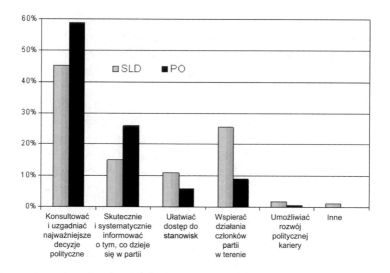

N = 1430, N = 495

Rycina 19. Obowiązki kierownictwa partii wobec jej członków

W SLD wyraźnie ujawniła się także potrzeba uzyskania wsparcia dla działań członków partii w terenie. Może to oznaczać, iż struktury lokalne i regionalne nie czują się wystarczająco silne, aby samodzielnie prowadzić rozmaite działania polityczne, albo też świadczy to o bierności czy wręcz apatii struktury partyjnej, która została do takiego stanu przyzwyczajona w poprzednich latach. Silnie zinstytucjonalizowana centrala partyjna z jej biurokratyczną bazą, jaką dysponuje SLD, posiada zasoby wystarczające do obsłużenia zarówno zaplecza parlamentarnego partii, jak też afiliowanych organizacji oraz terenowych struktur. Słabą stroną takiego układu jest ryzyko przyjmowania postaw bierno-wyczekujących „odbiorców pomocy".

Jeśli chodzi o możliwości, jakie wynikają dla działaczy partii z posiadania silnej reprezentacji politycznej w parlamencie i w strukturach samorządowych, to w chwili badania sytuacja PO jako partii rządzącej i mającej wpływ na obsadę stanowisk publicznych była znacznie lepsza niż SLD, który od wyborów parlamentarnych w 2005 r. stał się nieliczną opozycją w parlamencie, dodatkowo pozbawioną – po 10 latach prezydentury Aleksandra Kwaśniewskiego – swojego reprezentanta na najwyższym urzędzie w Polsce.

Działacze zarówno PO, jak i SLD twierdzą, iż nie oczekują od partii pomocy w rozwoju indywidualnych karier politycznych. Istnieje jednak podejrzenie, że w przypadku wielu osób sprowadza się to wyłącznie do poziomu deklaratywnego. Ta kwestia wydaje się uzależniona od kilku czynników, ale jest na pewno wpisana w indywidualne ścieżki rozwoju i aspiracje. Trudno bowiem wyobrazić sobie, aby osoby, które świadomie pną się po szczeblach hierarchii partyjnej i zajmują coraz wyższe stanowiska w administracji, zostają ministrami, parlamentarzystami, radnymi etc., nie postrzegały tego w kategoriach kariery zawodowej związanej z ich członkostwem w partii. Wypieranie tego faktu przez działaczy ugrupowania, którzy z partyjnych „dołów" przedostali się na średni lub wysoki szczebel hierarchii organizacyjnej i dzięki partii penetrują stanowiska publiczne, świadczy o pomniejszaniu znaczenia swojej formacji w tym obszarze i przypisywaniu nadmiernego znaczenia czynnikom indywidualnym.

Analizując liczne świadectwa, biografie i wspomnienia polityków partyjnych oraz partyjnych spin doktorów w Polsce i na świecie, znajdujemy więcej dowodów na potwierdzenie ściśle pragmatycznego charakteru podejmowanych działań[7] aniżeli na – z pewnością szlachetne – dążenie do służby publicznej *pro publico bono*.

Charakterystyka partii w oczach kadr partyjnych

Kolejnym rozpatrywanym problemem badawczym jest postrzeganie partii i jej kierownictwa przez członków partii. Poprosiliśmy re-

---

[7] Zobacz m.in. działalność prezydenta G.W. Busha w USA opisaną przez Karla Rove'a w książce *Courage and Consequence: My Life as a Conservative in the Fight*, Threshold Editions, 2010; prezydentura J. Chiraca we Francji *Mémoires/ Jacques Chirac*, en collaboration avec Jean-Luc Barré, Nil, Paris 2009.

spondentów o określenie na skali Likerta, w jakim stopniu zgadzają się z ośmioma (PO, tab. 23) lub dziesięcioma (SLD, tab. 24) stwierdzeniami. Można je pogrupować wokół czterech kwestii: 1) uczestniczenia we współrządzeniu partią i partycypacji w procesach decyzyjnych, 2) oceny personalnej kierownictwa partii i stylu zarządzania partią, 3) programu politycznego oraz 4) decyzji politycznych dotyczących współpracy z określonymi podmiotami politycznymi. Organizacje partyjne mogą być spójne ideologicznie i programowo, a członkowie jednomyślni w swoich przekonaniach. Może również występować sytuacja, w której rozwinięta jest wewnątrzpartyjna frakcjonalizacja i obserwowany niski stopień spójności partii. Badania prowadzone w tym obszarze[8] skupiają się głównie na analizie przebiegu głosowania w krajowych legislatywach, w szczególności zaś stosowania się parlamentarzystów do dyscypliny partyjnej, oraz na formowaniu koalicji rządowych. W centrum rozważań znajduje się kwestia relacji kierownictwa ugrupowania z kadrami średniego i wysokiego szczebla, wśród których znajdują się partyjni legislatorzy lub osoby pretendujące do tej roli. Liderzy formacji są zmuszeni do ciągłego utrzymywania *balance of power* wśród własnych parlamentarzystów oraz w szeregach partii, która jest ich naturalnym zapleczem. W badaniach skupiono się na spójności wewnątrz samej struktury partyjnej, rozpatrywanej na płaszczyźnie programowo-ideologicznej, a także w kontekście zgodności ocen względem przywódców ugrupowania i prowadzonej przez nich polityki oraz priorytetów partyjnych. W obu przypadkach istnieje zależność między spójnością formacji a jej wewnętrzną dynamiką. W partii, w której występują zauważalne różnice w postawach oraz ocenach, wewnętrzny konflikt immanentnie wpisany jest w zarządzanie partią. Może to zmniejszać m.in. możliwości realizacji funkcji rządzenia oraz funkcji integracyjnej. Pisał o tym blisko 70 lat temu Joseph Schumpeter, choć nie bezpośrednio w kontekście kierownictwa partii, ale premiera rządu w warunkach demokracji, porównując go do „jeźdźca, który jest tak pochłonięty próbami utrzymania się w siodle, iż nie jest w stanie planować toru, po którym poprowadzi wierzchowca, albo do generała tak pochłoniętego upew-

---

[8] Por. S. Bowler, D.M. Farrell, R.S. Katz (red.), *Party Discipline and Parliamentary Government*, Ohio State University Press, Columbus OH 1999; R.Y. Hazan (red.), *Cohesion and discipline in legislatures. Political parties, party leadership, parliamentary committees and governance*, „The Journal of Legislative Studies", vol. 9, nr 4, 2003.

nianiem się, że armia będzie się stosować do jego rozkazów, że musi zostawić strategię samą sobie"[9]. Z drugiej strony heterogeniczność w partii jest dowodem na powiązanie jej członków z różnymi środowiskami i szerokim politycznym zapleczem, co przekłada się na bazę wyborczą partii i jej zdolności patronażu politycznego. Partie w polskim systemie partyjnym są wciąż słabo zinstytucjonalizowane, dlatego przyjmuję, że występowanie rozmaitych skrzydeł w partiach jest zjawiskiem normalnym i pożądanym. W tym przypadku trudno wskazać, gdzie znajduje się optymalna i akceptowalna linia demarkacyjna, która minimalizuje niebezpieczeństwo dekompozycji lub wręcz podziału partii. Uchwycone w badaniu różnice między formacjami nie są przesłanką do formułowania hipotez o rozpadzie „partyjnego monolitu". Wskazują na mniejszą lub większą frakcjonalizację i umożliwiają wyjaśnienie genezy potencjalnych lub istniejących konfliktów i napięć.

Współcześnie można zaobserwować proces mediatyzacji zarówno samej polityki, jak i komunikowania politycznego[10]. W szerszym rozumieniu pojęcie mediatyzacji odnosi się do całej sfery publicznej i oznacza jej transformację lub modernizację pod wpływem tradycyjnych środków masowego przekazu, jak prasa, radio i telewizja, oraz nowych mediów, czyli sieci kablowych, satelitarnych i teleinformatycznych. Media masowe są z jednej strony przekaźnikiem komunikatów politycznych, powstałych poza strukturami partii, z drugiej zaś pierwotnym nadawcą przekazów politycznych[11], co – jak twierdzi część badaczy mediów i polityki – doprowadziło do narodzin „demokracji widzów"[12] czy też demokracji telewizyjnej z jej *homo videns*[13] w centralnym miejscu. Wobec powyższego wydaje się wielce prawdopodobne, że respondenci, którzy są członkami partii politycznej, podobnie jak inni, niezrzeszeni obywatele w pierwszej kolejności czerpią wiedzę i informacje z mediów, następnie zaś (zakładając optymistycz-

[9] J.A. Schumpeter, *Kapitalizm, socjalizm, demokracja*, Polskie Wydawnictwo Naukowe, Warszawa 1995, s. 358.

[10] G. Mazzoleni, W. Schulz, *„Mediatization" of politics: A challenge for democracy?*, „Political Communication", vol. 16, nr 3, 1999, s. 247–261.

[11] B. Mc Nair, *An Introduction to Political Communication*, wyd. 4, Routledge, 2007, s. 26–35.

[12] B. Manin, *Principes du gouvernement representatif*, Calmann-Lévy, Paris 1995, s. 279. Autor używa sformułowania *democratie du public*.

[13] G. Sartori, *Homo videns. Telewizja i postmyślenie*, przeł. J. Uszyński, Wydawnictwa Uniwersytetu Warszawskiego, Warszawa 2007.

nie) ze źródeł płynących z wewnątrz partii. Dzieje się tak, ponieważ kanały komunikacji w analizowanych ugrupowaniach nie wydają się wystarczająco drożne. Z opinią „Jestem zadowolony/a ze sposobu komunikowania się kierownictwa partii z szeregowymi członkami" zgodziła się mniej niż połowa respondentów z PO i SLD. Przypuszczenia badaczy odnośnie do traktowania przez centralę partyjną członków partii jako biernych obserwatorów prowadzonej ponad nimi polityki wydają się potwierdzać także analizy odpowiedzi udzielonych na kolejne pytania. W Platformie Obywatelskiej liczba badanych, którzy stwierdzili, że nie mają wpływu na decyzje podejmowane w partii oraz że ich zdanie nie ma dla partii znaczenia, przewyższyła grupę twierdzących przeciwnie. Co ciekawe, zarówno kadry SLD (77%), jak i PO (67% wskazań) przyznają, iż decyzje w ugrupowaniach podejmowane są w sposób demokratyczny. Mamy zatem sytuację, w której demokratycznie legitymizowana jest działalność partyjnego kierownictwa przy jednoczesnym poczuciu nikłej partycypacji struktur średniego szczebla w zarządzaniu formacją, czemu towarzyszy niewystarczająca komunikacja wewnętrzna.

W przypadku braku zadowolenia członkowie partii mogą wykorzystać instrumenty pozwalające na zmianę *status quo* i wybór nowych władz partii lub na wymianę konkretnych osób z kierownictwa. W PO i SLD znalazła się grupa respondentów, którzy wskazali, iż nie są zadowoleni ze stylu kierowania swoim ugrupowaniem. Wśród działaczy PO jest to poniżej 30% badanych, a wśród aktywistów SLD grupa niezadowolonych z kierownictwa partii stanowiła ponad połowę ankietowanych.

Kolejne stwierdzenie w kwestionariuszu dotyczyło bezpośrednio przewodniczących partii: Wojciecha Olejniczaka[14] bądź Donalda Tuska. Respondenci zostali poproszeni o ocenę personalną swoich przywódców. Z naszych badań wynika, że partyjni działacze byli mocno podzieleni w tej kwestii: niemal 45% uważało, że Olejniczak sprawdzał się na stanowisku szefa partii, przeciwnego zaś zdania było ponad 47% badanych. Polaryzacja opinii w tej kwestii ujawniła względnie trwały konflikt wewnętrzny, który, jak się wydaje, nie został ostatecznie zakończony wraz z przejęciem władzy przez

---

[14] W SLD doszło do zmiany kierownictwa partii niedługo po przeprowadzeniu badań. Wojciecha Olejniczaka zastąpił na tym stanowisku Grzegorz Napieralski.

Grzegorza Napieralskiego. Wyniki tych badań potwierdziły się podczas Krajowego Kongresu SLD w czerwcu 2008 r.

Tabela 23. Postawy członków PO względem własnej partii, jej kierownictwa oraz podmiotów współpracujących (%)

	Zdecydowanie tak	Raczej tak	Raczej nie	Zdecydowanie nie	Trudno powiedzieć
Decyzje w mojej partii są podejmowane w sposób demokratyczny	13,5	53,9	21,7	6,4	4,4
Czuję, że mam wpływ na decyzje podejmowane w partii	4,9	38,6	39	10,8	6,7
Kierownictwo partii, podejmując decyzje polityczne, bierze pod uwagę zdanie członków partii	4,1	41,2	33,5	14	7,3
Odpowiada mi obecny styl kierowania partią	14,7	55,1	22,7	4,6	2,8
Donald Tusk sprawdza się na stanowisku przewodniczącego partii	54,6	40,7	3,4	0	1,2
Jestem zadowolony/a ze sposobu komunikowania się kierownictwa partii z szeregowymi członkami	5,8	38,3	37,5	15,7	2,6
Partia potrzebuje nowego programu	6,7	42,3	41,3	4,7	5,1
Partia powinna współpracować z PSL	7,6	54,4	20,9	6,2	10,9

W SLD zapytano również o ocenę byłego premiera i przewodniczącego partii Leszka Millera. I w tym przypadku występowała polaryzacja stanowisk w partii, bowiem liczba opinii ankietowanych wyrażająca aprobatę i dezaprobatę dla Leszka Millera była bardzo zbliżona do ambiwalentnej oceny Wojciecha Olejniczaka. Uszczegółowiająca analiza krzyżowa odpowiedzi pokazała jednak interesujące niuanse. Członkowie, którzy uznali Leszka Millera za dobrego premiera, wskazywali na konieczność uchwalenia nowego programu partii, przeciwnego zaś zdania były osoby negatywnie oceniające czas jego rządów. Natomiast część zwolenników Olejniczaka (odpowiedzi twierdzące na pytanie, czy jest dobrym przewodniczącym) deklarowała równocześnie, że nie jest zadowolona ze stylu rządzenia partią, a jego przeciwnicy domagali się nowego programu.

W SLD dyskutowano także pomysł czynnego wspierania partii przez jej byłego lidera Aleksandra Kwaśniewskiego. W tej kwestii działacze Sojuszu również nie wykazali się jednomyślnością. Nieznaczna większość respondentów jest przeciwna zaangażowaniu lidera lewicy, a 46% aprobuje jego aktywną rolę w działalności partii. Sentyment do Kwaśniewskiego może być wynikiem kryzysu przywództwa na lewicy w Polsce oraz poszukiwania remedium na spadające poparcie wyborcze, które odsuwa w czasie możliwość rządzenia. Z naszych badań wynika ponadto, że pomimo różnic między Aleksandrem Kwaśniewskim a Leszkiem Millerem w zakresie stylu sprawowania władzy i politycznych priorytetów, w oczach zwolenników tego drugiego polityka były prezydent powinien kontynuować zaangażowanie na rzecz Sojuszu.

W PO układ sił w kierownictwie partii pozostaje na niezmienionym poziomie. Przewodniczącym partii nieprzerwanie od 2003 r. jest Donald Tusk, który od 2007 r. pełni równolegle funkcję premiera RP. Jego przywództwo nie jest kwestionowane i zyskało wyraźną aprobatę, skoro jedynie 3,4% uważa, i to w sposób umiarkowany (odpowiedź „raczej nie"), że nie sprawdza się on na stanowisku przewodniczącego partii. Być może dlatego kandydatura Donalda Tuska w wyborach prezydenckich wydawała się oczywista, a ogłoszona w styczniu 2010 r. rezygnacja ze startu w wyścigu do fotela prezydenckiego była zaskoczeniem nie tylko dla potencjalnych wyborców, ale także w partyjnych szeregach.

Tabela 24. Postawy członków SLD względem własnej partii, jej kierownictwa oraz podmiotów współpracujących (%)

	Zdecydowanie tak	Raczej tak	Raczej nie	Zdecydowanie nie	Trudno powiedzieć
Decyzje w mojej partii są podejmowane w sposób demokratyczny	24,2	53,3	15,3	4,2	3
Odpowiada mi obecny styl kierowania SLD	7,3	30,9	41,4	15,8	4,7
Jestem zadowolony/a ze sposobu komunikowania się kierownictwa SLD z szeregowymi członkami	5,6	28,3	40,9	22,2	3
Wojciech Olejniczak sprawdza się na stanowisku przewodniczącego partii	9,2	35,4	32,8	14,8	7,8
Leszek Miller był dobrym premierem	9,6	38,4	29,2	16,1	6,7
SLD potrzebuje nowego programu	58,9	30,6	7,2	1,6	1,7
Aleksander Kwaśniewski powinien czynnie działać na rzecz SLD	19,5	26,4	25	23,8	5,4
SLD jest gotowy do rządzenia krajem	22,5	38	29,7	5,7	4,1
Partia socjaldemokratyczna powinna współpracować z ugrupowaniami liberalnymi na różnych poziomach władzy	19,7	56,9	13,3	4,4	5,7
SLD powinien przede wszystkim współpracować z PD	6,4	30,8	31,7	23,1	8

Jak wspomniano we wstępie, badania w obu partiach przeprowadzano w czasie partyjnych zjazdów, którym mogą towarzyszyć zmiany personalne oraz pojawiające się inicjatywy programowe. Analizowane odpowiedzi wyraźnie pokazują, że zmian programowych najbardziej oczekują członkowie SLD. Niemal 60% działaczy zdecydowanie opowiada się za uchwaleniem nowego programu, a dalsze 30% poparło ten postulat w sposób umiarkowany. W PO zmian programu oczekuje podobna liczba członków, co utrzymania *status quo*. Jednocześnie nie odnotowano różnicy w tych ocenach ani wśród osób będących członkami partii od momentu jej założenia, ani wśród nowych członków. Nie zauważono również dodatniej korelacji z wcześniejszą przynależnością do innej partii politycznej. Oznacza to, iż przeszłość partyjna działaczy PO ani długość stażu członkowskiego nie wpływają na ich dążenie do modyfikacji programu politycznego partii. W SLD jest bardzo podobnie, z tym że, jak już ustalono, działacze nie mają tak zróżnicowanej przeszłości partyjnej i dlatego ten element znalazł się poza pomiarem.

Ostatnie zagadnienie to postawa wobec innych wybranych partii na polskiej scenie politycznej. Stosunek do pozostałych ugrupowań jest determinowany strategią, która z kolei jest wypadkową bliskości programowej partii, cech genetycznych czy też wzorców rywalizacji politycznej. W ciągu ostatnich 20 lat nie wykształcił się w Polsce jeden model zachowań koalicyjnych, nie zaobserwowano też trwałego schematu kooperacji pozytywnej i negatywnej relewantnych partii. PSL wypracowało i zachowało swój piwotalny charakter, wchodząc w koalicje gabinetowe z SLD w latach 1993–1997 i 2001–2005 oraz z PO od 2007 r. SLD zaś od 2005 r. pozostaje w specyficznej, bliskiej izolacji opozycji, przy każdym bowiem formowaniu gabinetu przez PiS czy PO nie jest rozważany jako potencjalny partner dopełniający większość koalicyjną. Dlatego można uznać, że odpowiedź na pytanie o stanowisko członków SLD wobec współpracy z partiami liberalnymi ma pośrednio charakter spekulatywny. W 2005 r. doszło co prawda do współpracy SLD z trzema partiami socjaldemokratycznymi i socjalliberalnymi[15] w ramach szerokiej koalicji, która przyjęła nazwę Lewica i Demokraci (LiD), rozpadła się ona jednak już w 2008 r., a wybory parlamentarne nie przyniosły spodziewanych korzyści jej założycielom. I choć z badań wynika, iż zdaniem działaczy SLD partie liberalne są najbardziej pożądanym partnerem do współ-

---

[15] Pozostałe podmioty tworzące koalicję to: Partia Demokratyczna, Socjaldemokracja Polska i Unia Pracy.

pracy politycznej, to współpraca z Partią Demokratyczną, którą z powodzeniem można zaliczyć do liberalnej rodziny partii, według respondentów nie układała się dobrze, ponieważ ok. 1/4 badanych było jej zdecydowanie przeciwnych, a ponad 30% było temu umiarkowanie niechętnych.

Deklaracje członków PO wobec współpracy z PSL odnoszą się do bieżącej sytuacji, ponieważ partia ta jest od 2007 r. partnerem koalicyjnym PO. W roku poprzedzającym wybory parlamentarne partie współpracowały na poziomie wyborczym, grupując listy do samorządów wojewódzkich w całym kraju. Zwiastunem współpracy politycznej było ponadto utworzenie w Parlamencie Europejskim w 2004 r. jednej delegacji w ramach frakcji Europejskiej Partii Ludowej/Europejskich Demokratów, która przetrwała do dziś.

Priorytety polityczne partii

Wskazaliśmy partyjnym delegatom do wyboru (stosując jako narzędzie pomiaru półotwartą kafeterię) dziesięć priorytetów programowych, którymi powinna zająć się partia obecnie lub po wygranych wyborach. Respondenci zostali dodatkowo poproszeni o uszeregowa-

Tabela 25. Priorytety PO (%)

	Pierwszy	Drugi	Trzeci
Rozwój gospodarczy kraju	74,2	13,8	4,5
Zmniejszenie bezrobocia	10,0	10,7	6,7
Decentralizacja państwa	7,8	31,6	11,8
Obniżenie podatków	3,3	18,5	20,7
Dobry wizerunek Polski na arenie międzynarodowej	1,6	9,6	30,1
Walka z korupcją w państwie	1,6	6,0	13,1
Inny	0,7	0,4	0,9
Walka z przestępczością	0,4	7,1	7,8
Podniesienie płacy minimalnej	0,2	1,6	2,9
Zapewnienie kobietom i mężczyznom równych praw	0,2	0,7	1,1
Złagodzenie ustawy antyaborcyjnej	0,0	0,0	0,4

N = 449

nie swoich wskazań według ważności: od priorytetu pierwszego do trzeciego. Lista rankingowa PO różni się nieznacznie od listy SLD. Działacze PO uważają, że najważniejszy jest rozwój gospodarczy kraju, decentralizacja państwa oraz dobry wizerunek Polski na arenie międzynarodowej. Cele socjalne i regulacja kwestii światopoglądowych nie zostały uwypuklone, a dalsze wskazania odnoszą się do polityki fiskalnej: obniżenia podatków oraz polityki wewnętrznej, związanej w większym stopniu z walką z korupcją w państwie niż z walką z przestępczością. Pełną listę rankingową priorytetów PO przedstawia tabela 25.

Respondenci w SLD jako priorytetowe zagadnienia uznają: zmniejszenie bezrobocia, gwarancję praw socjalnych oraz podniesienie płacy minimalnej. Część zagadnień, które mieszczą się w katalogu wartości wyznawanych przez Nową Lewicę czy, szerzej, wartości postmaterialnych, jak ochrona środowiska i równouprawnienie kobiet i mężczyzn, znalazło się na dalszym planie, sprowadzając oczekiwania działaczy Sojuszu głównie do kwestii socjalno-bytowych. Obok tych priorytetów, zbieżnych z tradycyjnym socjaldemokratycznym programem politycznym, zaakcentowano również konieczność zadbania o dobry wizerunek Polski na arenie międzynarodowej. Podobieństwo umiej-

Tabela 26. Priorytety SLD (%)

	Pierwszy priorytet	Drugi priorytet	Trzeci priorytet
Zmniejszenie bezrobocia	37,6	11,4	6,7
Gwarancja praw socjalnych	23,9	20,3	12,8
Podniesienie płacy minimalnej	15,0	19,6	6,6
Dobry wizerunek Polski na arenie międzynarodowej	8,3	9,6	23,4
Walka z korupcją w państwie	4,6	10,9	14,5
Zapewnienie kobietom i mężczyznom równych praw	3,0	7,0	6,3
Walka z przestępczością	2,3	8,4	8,5
Inny	2,3	0,9	1,8
Złagodzenie ustawy antyaborcyjnej	1,9	6,2	9,1
Ochrona środowiska	0,7	4,1	8,0
Gwarancja zasiłków rodzinnych	0,5	1,6	2,3

N = 1509

scowienia tego poglądu w SLD i PO może wynikać ze względnego konsensusu większości parlamentarnych partii politycznych, który towarzyszy polityce zagranicznej, i dużego znaczenia, jakie przykładają działacze partii do miejsca Polski w Europie i na świecie.

Podsumowanie

Pomimo obserwowanych we wszystkich demokratycznych systemach zmian w zakresie zależności partii politycznych od zasobów dostarczanych przez jej członków, przez pokrewne organizacje czy rozmaitych patronów, a także wsparcia finansowego ze środków publicznych oraz wsparcia państwa, jest oczywiste, że partyjne kadry średniego szczebla są niezbędnym elementem w strukturze organizacyjnej formacji politycznych. Tego ogniwa nie da się łatwo zastąpić ani wyeliminować.

Nasi respondenci zazwyczaj łączą pełnienie funkcji w partii z funkcjami publicznymi, co jest częstą praktyką w ustabilizowanych reżimach parlamentarnych. Obejmując stanowiska rządowe lub samorządowe, nadal kontrolują organizację partyjną na stosownym poziomie.

Badani uczestniczyli w większości partyjnych spotkań, poświęcali od kilku do kilkunastu godzin miesięcznie na rzecz partii i być może dlatego oczekują dodatkowo większej partycypacji w zakresie podejmowania decyzji przez kierownictwo. Z uzyskanych danych wynika, że w PO kontakty członków z partią są względnie częste i długie, a w SLD choć są równie intensywne, to krótsze.

Kierownictwo w obu partiach jest oceniane w sposób ambiwalentny. Działacze nie aprobują bezkrytycznie podejmowanych działań kadrowych i prowadzonej strategii politycznej. W PO zawodzi komunikacja wewnętrzna. Zasygnalizowano nam potrzebę dopuszczenia kadr średniego szczebla do współdecydowania o sprawach partii. Być może kierownictwo ugrupowania postanowiło wyjść naprzeciw temu problemowi ogłaszając, po rezygnacji Donalda Tuska z ubiegania się o urząd Prezydenta RP, wewnętrzne prawybory kandydatów. Można to ocenić jako krok w kierunku „podniesienia morale" poprzez usprawnienie, na razie jednorazowe, komunikacji wewnętrznej i dopuszczenie członków do współdecydowania w jednej z najważniejszych spraw związanych z przyszłością partii.

W SLD zaakcentowano kryzys przywództwa oraz zdecydowaną potrzebę „nowego otwarcia" w zakresie programu politycznego.

Działacze partii byli jednak i w tej sprawie częściowo podzieleni, bowiem nadwyżka byłych, obecnych i pretendujących liderów politycznych skutkowała podziałami i brakiem jednoznacznych ocen odnośnie do przeszłych dokonań, kwalifikacji przywódczych czy też tożsamości programowo-politycznej polskiej lewicy. Pomimo wycofania się Aleksandra Kwaśniewskiego oraz Leszka Millera z czynnej polityki partyjnej, jak też zmiany pokoleniowej, działacze pozostają nadal podzieleni w kwestii oceny kierownictwa partii.

W obu partiach widoczne jest poczucie alienacji, sygnalizowane przez część kadry przekonanej o ograniczaniu własnej roli w partii. Natomiast satysfakcję działaczy PO i SLD z członkostwa zauważono, gdy członkowie wymieniali przymioty swoich partii. Jeśli zaś chodzi o poziom zadowolenia z kierownictwa partii, to jest on nieznacznie wyższy wśród członków PO aniżeli SLD. Ogólnie można stwierdzić, że działacze nie mają zastrzeżeń wobec zakresu demokratycznych procedur w partii, ale chcieliby mieć większe możliwości decydowania o sprawach wewnętrznych.

Zdaniem swoich członków partie, realizując cele programowe, powinny skoncentrować się w pierwszej kolejności na: rozwoju gospodarczym, walce z bezrobociem i decentralizacją państwa (PO) lub działaniach socjalnych opartych na interwencjonizmie państwowym, do których zalicza się m.in. walkę z bezrobociem, zapewnienie praw socjalnych (SLD).

Reasumując, kadry Platformy Obywatelskiej i Sojuszu Lewicy Demokratycznej nie są jedynie przedmiotem polityki realizowanej przez ścisłe kierownictwo partii, choć sprawiają często wrażenie biernych obserwatorów. Sprawy partii nie są im obojętne, choć często rozbieżne opinie sugerują symptomy kryzysu lub wewnętrznej frakcjonalizacji. Działacze mają pomysły, jak usprawnić relacje wewnętrzne i wykorzystać zasoby będące w dyspozycji, ale wobec dynamicznie zmieniającego się otoczenia nie są w stanie szybko reagować. Decyzje o charakterze zarówno taktycznym, jak i strategicznym podejmowane są przede wszystkim w ścisłym kierownictwie partii, którego członkowie współpracują z sobą na co dzień. Okazuje się, że – pomimo większych aspiracji części badanych – rolą działaczy pozostaje raczej legitymizacja działań zarządów ugrupowania i wykonywanie doraźnej pracy na jego rzecz niż współrządzenie i nadawanie kierunku partyjnej polityce.

JEAN-MICHEL DE WAELE

DZIAŁACZE PARTYJNI W BUŁGARII I RUMUNII: TŁO DO POLSKIEJ ANALIZY

Monografia na temat działaczy, członków czy elit partii politycznej, koncentrująca się jedynie na jednej formacji lub ugrupowaniach funkcjonujących w jednym systemie partyjnym, napotkałaby ograniczenia wynikające z braku analizy porównawczej. Warto poznać opinie 65% aktywnych zwolenników partii, ale nie wiedząc, co myślą działacze innych partii, nie można stwierdzić, czy te 65% to dużo czy mało. Czy jest to cecha narodowa, lokalna, pokoleniowa czy zawodowa? Jakie ma ona znaczenie? Jedynie analiza porównawcza pozwala w pełni wykorzystać dane takiej ankiety. Porównać to zrozumieć, jak mówi znany włoski politolog Giovanni Sartori. Rozdziały tej książki ukazują bogactwo porównań. O wiele więcej można się dowiedzieć o SLD, analizując dane na jego temat na tle PO. Takie odniesienia mogą być bardziej pogłębione i zróżnicowane. Niektóre podane liczby nabierają zresztą znaczenia jedynie dzięki porównaniu.

W tym kontekście pojawia się również wątek porównań w obszarze międzynarodowym. Zestawiając wyniki otrzymane w Polsce z innymi przypadkami, można mieć nadzieję na wzajemne wzbogacenie wniosków i spojrzenie z lepszej, gdyż szerszej perspektywy. W tym rozdziale zostaną przedstawione wyniki otrzymane na podstawie badań przeprowadzonych w czterech partiach politycznych: jednej w Bułgarii: Bułgarskiej Partii Socjalistycznej (PSB), i trzech w Rumunii: Partii Narodowo-Liberalnej (PNL), Partii Demokratyczno-Liberalnej (PDL) oraz Węgierskiej Unii Demokratycznej w Rumunii (UDMR). Dzięki temu można otrzymać informacje na temat kolejnej partii socjalistycznej (PSB), będącej członkiem grupy socjalistycznej w Parlamencie Europejskim oraz Międzynarodówki Socjalistycznej, która podobnie jak polski SLD jest następczynią byłej rządzącej partii komunistycznej. PDL to z kolei rumuńska partia centroprawicowa, członek Europejskiej Partii Ludowej (EPP), PNL zaś jest przykładem partii określającej się jako liberalna, w Parlamencie Europejskim należy do Partii Europejskich Liberałów, Demokratów i Reformatorów (ELDR). Partię mniejszości węgierskiej można uznać za ugrupowanie etniczne. Bułgaria i Rumunia posiadają wiele wspólnych cech geopolitycznych, historycznych, religijnych i gospodarczych. Należy jednak uważać, aby nie przesadzić z wyszukiwaniem podobieństw. Typ systemu komunistycznego, jego upadek i etapy transformacji, jak również krajobraz polityczny bardzo się bowiem różnią.

Komunistyczna przeszłość Polski, Bułgarii i Rumunii, równoczesne przejście do demokracji przedstawicielskiej oraz do gospodarki rynkowej, dążenie do członkostwa w NATO i Unii Europejskiej sprawiają, że porównania są interesujące i użyteczne. Te podobieństwa i różnice wystarczą, aby zbudować porównanie. Oczywiście porównania polskich partii politycznych z partiami politycznymi z Europy Zachodniej mogłyby być równie ciekawe, badacze zdecydowali jednak ograniczyć swój wybór do strefy krajów „postkomunistycznych".

Celem tego rozdziału jest analiza sytuacji w partiach politycznych innych niż SLD i PO. Ze względu na ograniczone rozmiary tej publikacji nie można szczegółowo porównać odpowiedzi delegatów z trzech krajów i sześciu różnych partii politycznych. Toteż skupiliśmy się głównie na wymiarze polskim, a w tym rozdziale przeprowadzimy analizę wyników badań partii bułgarskiej i rumuńskiej, starając się uwypuklić pewne punkty porównań z głównymi tendencjami obserwowanymi w przypadku polskich partii politycznych. W Bułgarii i Rumunii przeprowadzono te same ankiety co w Polsce. Najpierw więc zostanie przedstawiona każda z partii, a następnie podjęta analiza wyników dla każdej z nich.

Bułgarska Partia Socjalistyczna (PSB)

Bułgarska Partia Socjalistyczna (PSB), która jest spadkobierczynią Bułgarskiej Partii Komunistycznej (PCB) rządzącej w okresie komunizmu, posiada członkostwo w Międzynarodówce Socjalistycznej i Partii Europejskich Socjalistów (PSE). PSB reprezentuje jedną z głównych sił politycznych w Bułgarii, będącą od 1989 r. przez wiele lat u władzy. To partia, która ma największą liczbę przedstawicieli na bułgarskiej scenie politycznej. Można wręcz powiedzieć, że jest obecnie jedyną prawdziwą partią polityczną w tym kraju. Ale to także formacja mająca za sobą poważny kryzys polityczny. Literatura na temat socjaldemokratycznych partii politycznych w Europie Środkowej i Wschodniej przeciwstawia często partie neokomunistyczne, które jedynie z zewnątrz zaadaptowały się do demokracji parlamentarnej, partiom socjaldemokratycznym, które całkowicie się zreformowały. Los PSB długo pozostawał niepewny. Proces transformacji tej partii był dużo trudniejszy i bardziej burzliwy niż w przypadku np. analogicznych formacji w Polsce czy na Węgrzech. Bułgarska Partia Socjalistyczna często była uważana za model sukcesu partii politycznej z punktu widzenia struktury swojej bazy. PSB została opisana jako „częściowo zreformowana", a zarazem nieprzekształcona[1]. Jawi się jako partia, której udało się utrzymać organizację masową (liczy obecnie 200 tys. członków). Jej ewolucja była powolna i stopniowa. Wewnętrzny opór przed zmianami w partii był duży i proces jej transformacji musi być rozumiany jako narzucenie nowej linii przez różne ekipy kierownictwa zmuszane do walki ze starzejącą się bazą członkowską. Trauma porażki rządu socjalistycznego, kierowanego przez Jana Videnova, która sprowokowała upadek gospodarczy kraju, a także demonstracje przeciwko PSB, wywołała wewnętrzną ewolucję ugrupowania. Z jednej strony PSB poniosła spektakularną porażkę wyborczą w 1997 r. (straciła milion głosów), grupa reformatorów opuściła partię i pojawił się natłok nowych demokratycznych organizacji społecznych. Z drugiej zaś nowe kierownictwo partii, któremu przewodził prezydent republiki Georgi Parvanov, nie miało innego wyjścia jak przyspieszyć wewnętrzny ruch reformatorski. Nawet jeśli opór przed zmianami nadal był duży, uzyskano znaczące osiągnięcia, takie jak gotowość wstąpienia do NATO, która w dokumentach partii znalazła się dopiero po 44. Kongresie w maju 2000 r. Trzeba też było czekać do października 2003 r., aby partia została przyjęta w poczet członków Międzynarodówki Socjalistycznej. Mimo tych wszystkich trudności, wewnętrznych napięć i niepewności, PSB udało się kilka razy dojść do władzy[2]. Partia wygrała pierwsze wybory w 1990 r., aby stracić władzę w 1991, ale ponowne zwycięstwo odniosła w 1994 r.

---

[1] A. Bozoki, J. Ishiyama (red.), *The Communist Successor Parties of Central and Eastern Europe*, ME Sharpe, New York, London 2002, s. 6–9.
[2] Wyniki uzyskane przez tę partię w kolejnych wyborach (samodzielnie lub w koalicji): 47,2% – 1990 r.; 33,1% – 1991 r.; 43,5% – 1994 r.; 22,5% – 1997 r.; 17,1% – 2001 r. (patrz: R. Rose, N. Munro, *Elections and Parties in New European Democracies*, CQ Press, Washington 2003). W 2005 r., wkrótce po zakończeniu oma-

W 1997 r., znów utraciła władzę, ale w 2005 r., kolejny raz wygrała wybory, zdobywając 31% głosów. Udało jej się uzyskać fotel prezydenta republiki w 2001 i 2006 r. dla Georgiego Pyrwanowa, który do momentu objęcia funkcji prezydenta był przewodniczącym tej partii. W 2009 r. socjalistyczny premier Sergej Staniszew, który kierował koalicją trójpartyjną, doznał upokarzającej porażki w starciu z populistycznym przywódcą Bojko Borisowem, a PSB zdobyła tylko 17,7% głosów. Odnowa partii wciąż wydaje się tak samo trudna. Ma to związek z mało przejrzystymi interesami gospodarczymi, w które była ona uwikłana.

Partia Narodowo-Liberalna (PNL)

PNL odrodziła się 15 stycznia 1990 r. Ogłosiła wówczas kontynuację rumuńskiej tradycji liberalnej, sięgającej ideałów rewolucji z 1848 r. oraz Partii Narodowo-Liberalnej, utworzonej w 1875 r. Mimo ograniczonej liczby deklarowanych członków w stosunku do innych partii rumuńskich[3], w wyniku wyborów parlamentarnych partii udało jej się pięciokrotnie wejść do parlamentu i zdobyć stanowiska dla swoich przedstawicieli na poziomie rządowym. Poza tym wyniki wyborcze PNL, chociaż skromne, od 1992 r. mają tendencję wzrostową. Należy zaznaczyć, że chodzi o jedyną „historyczną" partię w Rumunii, której udało się nie tylko przetrwać, lecz także wzmocnić swoją pozycję. Jest też jedyną reprezentowaną w rządzie i wpływającą na politykę małą partią, której poparcie wyborcze przekroczyło 10% tylko raz, podczas wyborów w 2004 r.[4]

---

wianego tu kongresu partii, Koalicja na rzecz Bułgarii, do której należała BSP, uzyskała 30,95% głosów.

[3] W 2003 r. PNL zgłosiła przed sądem w Bukareszcie liczbę zaledwie 73 185 członków, podczas gdy inne partie parlamentarne wykazały bardzo wysoki poziom członkostwa: Partia Socjaldemokratyczna 385 481 członków, Partia Wielkiej Rumunii 201 827 członków i Partia Demokratyczna 148 922 członków; (patrz: C. Preda, *Partide şi alegeri in România post-comunistă: 1989–2004* [Partie i wybory w postkomunistycznej Rumunii: 1989–2004], Nemira, Bucarest 2005).

[4] W ciągu ostatnich 17 lat partia wystąpiła w wyborach samodzielnie trzy razy i w koalicji dwa razy. Tylko w 1992 r. nie udało jej się wejść do parlamentu, kiedy poparło ją jedynie 2,7% wyborców. W wyborach 1990 r., w których partia wystąpiła samodzielnie, zdobyła ok. 8% głosów (7,32% w Izbie i 8,4% w Senacie) i ok. 9% w wyborach w 2000 r. W sytuacji gdy stworzyła koalicję z innymi partiami historycznymi w 1996 r., zdobyła 25 z 332 mandatów w Izbie Deputowanych

PNL jest słabo zorganizowana na poziomie lokalnym i jest popierana szczególnie przez wyborców miejskich. Historia postkomunistyczna PNL ujawnia liczne rozłamy i połączenia, będące wynikiem niezgody dotyczącej strategii partii wobec jej polityki sojuszy czy też wewnętrznej walki o władzę. W pierwszym etapie, który zbiegł się w czasie z procesem instytucjonalizacji partii, trwającym aż do wyborów w 1996 r., liberałowie musieli stawić czoła całej serii podziałów. Sytuacja zmieniła się od 1997 r., kiedy rozpoczął się wielki ruch liberalnego zjednoczenia. Kilka formacji liberalnych, które poniosły porażkę podczas wyborów, połączyło się z PNL[5]. Ruch zjednoczenia liberalnego został poddany próbie, gdy z powodu podziału grupy przywódców partii część z nich zdecydowała się dołączyć do partii prezydenta Basescu i utworzyć Partię Demokratyczno-Liberalną (PDL).

Partia Demokratyczno-Liberalna (PDL)

PDL wywodzi się z Frontu Ocalenia Narodowego (FSN). W następstwie podziału w 1992 r., kiedy z partii odeszła część działaczy i założyła Demokratyczny Front Ocalenia Narodowego (potem zmienił on nazwę na Partię Socjaldemokratyczną), Front Ocalenia Narodowego pod przewodnictwem Petre Romana przeszedł zmiany polityczne i programowe. Partia zbliżała się powoli ku orientacji antykomunistycznej. Przeszła również zmiany programowe, przyjmując w 1993 r. nazwę Partii Demokratycznej oraz socjaldemokratyczną tożsamość.

Partia Demokratyczna (PD) współtworzyła „antykomunistyczny" rząd koalicyjny od 1996 do 2000 r., zdobywając sześć ministerstw (w tym transportu pod kierownictwem Traiana Basescu). Równolegle lider partii Petre Roman pełnił funkcję przewodniczącego Senatu, drugą najważniejszą w hierarchii władz konstytucyjnych. Poniósł on sro-

---

(ok. 7,53%) i 64 mandaty (19,28%) w 2004 r., gdy zawarła sojusz z Partią Demokratyczną (która w tamtym czasie uważała się za partię centrolewicową). Zatem partii nigdy nie udało się przekroczyć progu 20% poparcia wyborców. Źródło: www.bec.ro.
    [5] Począwszy od 1997 r. nastąpiło kilka połączeń partii liberalnych. PNL kolejno łączyła się z: PAC (28 marca 1998 r.), PL93 (kwiecień 1998), Sojuszem na rzecz Rumunii – byłą frakcją spadkobiercy partii PDSR (19 stycznia 2002 r.), Unią Sił Prawicowych (kwiecień 2003) – następcą Partii Rumuńska Alternatywa, formacją liberalną powstałą w lutym 1996 r., która została członkiem CDR, i wreszcie skrzydłem Campeanu w PNL.

motną porażkę w czasie wyborów parlamentarnych w 2000 r., zdobywając jedynie 7% poparcia, co spowodowało rewolucję wewnątrz partii i odsunięcie go z funkcji przewodniczącego podczas wewnętrznych wyborów w 2001 r. Na czele partii stanął Traian Basescu, który dzięki swej bezpośredniości zwrócił uwagę mediów już wcześniej, gdy był ministrem transportu, czy też, gdy zdobył poparcie elektoratu w wyborach na burmistrza Bukaresztu.

Pod kierownictwem Traiana Basescu Partia Demokratyczna wzmocniła swój antykomunistyczny kierunek, odmawiając jakiejkolwiek współpracy z socjaldemokratami z PSD, mimo oznak przemian politycznych i programowych tej partii. Co charakterystyczne, PD zbudowała we współpracy z PNL sojusz oparty na silnej identyfikacji negatywnej (tzn. anty-PSD i antykomunistycznej). W takiej oto formule sojusz Sprawiedliwość i Prawda (DA) wystartował w wyborach w 2004 r. Współpraca Basescu z jego liberalnym odpowiednikiem Teodorem Stolojanem odbywa się na szczeblu krajowym, podczas gdy na poziomie międzynarodowym Partia Europejskich Socjalistów dąży do zgody z PSD. Całkowite odrzucenie współpracy z PSD spowodowało przebudowę ustaleń programowych. W 2005 r. PD porzuciła credo socjaldemokratyczne i w Parlamencie Europejskim zmieniła przynależność partyjną, przyłączając się do EPP (Europejskiej Partii Ludowej). Nowa tożsamość polityczna została określona statutowo jako centroprawicowa, inaczej mówiąc, PD ogłosiła się partią ludową otwartą „na wszystkich obywateli Rumunii, którzy podzielają wartości i poglądy polityczne o korzeniach demokratycznych, liberalnych i chrześcijańsko-demokratycznych". Na poziomie krajowym PD podkreśla swoją tożsamość liberalną i antykomunistyczną.

Tej programowej zmiany nie można właściwie zrozumieć bez odniesienia do znaczenia lidera partii Traiana Basescu. Wybrany w 2004 r. na burmistrza Bukaresztu, został następnie zwycięskim kandydatem sojuszu DA w wyborach prezydenckich. Zgodnie z przedwyborczymi ustaleniami PNL otrzymała stanowisko premiera, a PD teki sześciu ministerstw. Relacje rządowe okazały się jednak szczególnie napięte. Mimo że początkowo teza połączenia obu partii zyskała dość szerokie poparcie wśród ich członków, relacje pogorszyły się nieodwracalnie w kontekście częstych starć pomiędzy premierem Tariceanu i prezydentem Basescu. Napięcia te pogłębiły konflikty w PNL, która podzieliła się i stworzyła nowe ugrupowanie: Partię Liberalno--Demokratyczną (PLD). Początkowo planowane połączenie PD nastąpiło w konsekwencji nie z PNL, a z nową PLD. W grudniu 2007 r. obie formacje utworzyły Partię Demokratyczno-Liberalną (PDL).

Na skutek wprowadzonych zmian w systemie głosowania, silnie wspieranych przez PDL jako znak odnowy klasy politycznej, wybory parlamentarne w 2008 r. potwierdziły tendencję wzrostową tego ugrupowania. Faktycznie z PDL do parlamentu weszło 115 deputowanych i 51 senatorów, a partia utworzyła rząd. W 2009 r., mimo wsparcia, którego w drugiej turze PNL udzieliła kandydatowi PSD, Traian Basescu został ponownie wybrany na prezydenta Rumunii, a PDL znów stanęła na czele rządu, w sojuszu z UDMR oraz przy parlamentarnym wsparciu deputowanych niezrzeszonych i przedstawicieli mniejszości narodowych.

Węgierska Unia Demokratyczna w Rumunii

Mając na uwadze znaczenie etnicznej mniejszości węgierskiej w Rumunii (1 431 807 osób, co stanowi 6,6% populacji według spisu ludności z 2002 r.), od początku swego istnienia UDMR prezentuje się jako przedstawiciel polityczny tej mniejszości działający na rzecz ochrony jej interesów, zwłaszcza w zakresie zmian w artykule 1 konstytucji, który Rumunię określa jako „jednolite państwo narodowe", oraz w kontekście rozszerzenia praw mniejszości. UDMR nie jest partią polityczną, ale funkcjonuje jako organizacja skupiająca stowarzyszenia społeczne, naukowe, kulturalne itp. Trudno jest określić profil programowy UDMR, poza dominującą zasadą obrony interesów mniejszości węgierskiej. Unia promuje „samoorganizację społeczności, poprawę warunków materialnych i duchowych; prowadzi swoją działalność pod szyldem demokracji i pluralizmu". Nakreślenie zarysów programowych UDMR odnosi się zatem raczej do jej przynależności w Parlamencie Europejskim do EPP.

Ze stałym wynikiem wyborczym ok. 7% głosów UDMR od 1996 r. aż do dzisiaj była regularnie partnerem w koalicji rządowej w kolejnych latach: 1996–2000, 2000–2004, 2004–2008, od 2009 współpracując jednocześnie z socjaldemokratami z PSD, z prawicą PD/PDL i liberałami z PNL.

Po przedstawieniu ogólnych informacji na temat analizowanych partii pora na wyniki badań przeprowadzonych wśród ich działaczy.

Delegaci Bułgarskiej Partii Socjalistycznej

Profil społeczno-zawodowy

Kadry partyjne średniego szczebla w PSB[6] stanowi głównie ludność miejska, z przewagą mieszkańców stolicy (22,3% delegatów mieszka w Sofii, jedynie 9,5% delegatów żyje na wsi)[7]. Członkowie PSB to w przeważającej większości mężczyźni (73%). W grupie wiekowej od 50 do 59 lat znajduje się aż 41,8% przedstawicieli partii, między 40 a 49 rokiem życia – 31,1%. Mniej liczni są ludzie młodzi – poniżej 29 lat ma jedynie 3,1%. Należy również dodać, że osoby mające poniżej 40 lat stanowią tylko 13% aktywistów. Możemy więc stwierdzić, iż trzon kongresu PSB tworzą osoby urodzone w okresie komunistycznym. Tylko 20,4% delegatów uważa się za wierzących, co wydaje się niewiele jak na kraj prawosławny, ale odsetek ten dokładnie odpowiada liczbie wiernych praktykujących w tym kraju. Wierzący to w większości osoby młode, co jest dodatkową oznaką znacznej laicyzacji społeczeństwa bułgarskiego w czasach komunizmu.

Poziom wykształcenia delegatów jest bardzo wysoki, gdyż 43,9% z nich posiada dyplom magisterski, a 43,4% dyplom studiów innych niż uniwersyteckie, w sumie studia wyższe ukończyło 87,3% delegatów. Prawdopodobnie wśród tych, którzy nie odpowiedzieli na pytania zawarte w kwestionariuszu, więcej jest osób reprezentujących niższy poziom wykształcenia, jednak większość bułgarskiego społeczeństwa, które jest znacznie gorzej wykształcone, nie jest reprezentowana w kadrach partyjnych średniego szczebla. Co do kierunku podjętych studiów, wysoką pozycję zajmują osoby z wykształceniem w dziedzinie ekonomii i finansów (20,7%) lub posiadające dyplom inżyniera (21,9%). Należy jednak pamiętać, że w systemach demokracji ludowej tytuł inżyniera oznaczał wiele funkcji. Jeśli chodzi o zawody wykonywane przez delegatów, najlepiej reprezentowany jest

---

[6] Badania przeprowadzono podczas 45 Kongresu PSB 9 kwietnia 2005 r. w Sofii. Kongres odbył się kilka miesięcy przed czerwcowymi wyborami parlamentarnymi 2005 r. PSB, będąca w opozycji od 1997 r., została wskazana jako zwycięzca we wszystkich sondażach. Kwestionariusz, który otrzymali wszyscy delegaci, składał się z 52 pytań. Z 746 delegatów uczestniczyło w kongresie 664, a 410 wypełniło kwestionariusz (czyli 61,76% wszystkich delegatów obecnych na kongresie).

[7] Rozkład delegatów według miejsca zamieszkania jest następujący: 9,5% wieś, 22,3% małe miasteczka, 22% miasta średniej wielkości, 23,9% ośrodki regionalne i 22,3% mieszkańcy Sofii.

sektor publiczny: 34,7% partyjnych elit stanowią urzędnicy samorządowi lub państwowi, a 25,9% funkcjonariusze służby cywilnej. Jeśli doda się jeszcze 5,9% pracowników umysłowych, otrzymamy w sumie 66,5%. Niezależni przedsiębiorcy i przedstawiciele wolnych zawodów stanowią jedynie 10,3%. Co zaskakujące w przypadku partii socjaldemokratycznej, odsetek robotników wynosi tylko 1,5%, bezrobotnych zaś – 2,2% delegatów na kongres. Poziom uzwiązkowienia wydaje się również niższy niż oczekiwany od partii socjaldemokratycznej. W sytuacji, gdy ogólny poziom uzwiązkowienia w Bułgarii waha się między 20% a 27%[8] i gdy jedynie 27,5% delegatów PSB należy do związków, odsetek ten zdaje się potwierdzać, że związki nie są sojusznikami i uprzywilejowanymi podmiotami dla PSB. Członkowie deklarujący przynależność do związku zawodowego aż w 88,2% należą do Konfederacji Niezależnych Związków Zawodowych Bułgarii, która jest spadkobierczynią dawnych komunistycznych związków zawodowych.

Podsumowując, przedstawicielem lokalnych organizacji partyjnych PSB wybranym na delegata na kongres krajowy jest ponadczterdziestoletni mężczyzna z miasta, posiadający wykształcenie wyższe techniczne lub ekonomiczne. Jego zawód związany jest głównie z administracją państwową. Ma raczej wysoką pozycję społeczną, a jego przynależność do partii w niewielu przypadkach wiąże się z działalnością związkową. Należy zaznaczyć, iż mimo faktu, że młodzi (poniżej 40. roku życia) są w zdecydowanie mniejszym stopniu reprezentowani na kongresie, większość delegatów stanowi aktywną część populacji kraju, gdyż 83,4% z nich pracuje zawodowo.

Relacje z przeszłością

W literaturze naukowej PSB uważana jest za klasyczny przykład partii sukcesorki. Czy ta genetyczna etykieta znajduje nadal podstawy na poziomie mikrosocjologii partii? W rzeczywistości ciągłość PSB z Bułgarską Partią Komunistyczną (PCB) potwierdza się na poziomie aktywu partyjnego, 86,8% delegatów PSB było wcześniej członkami PCB. Nie jest to zaskoczeniem, jeśli weźmie się pod uwagę sposób przemiany partyjnej w Bułgarii oraz wiek działaczy. Należy zauwa-

---

[8] *Évolution de la syndicalisation de 1993 à 2003*, Rapport European Industrial Relations Observatory; http://eurofound.europa.eu/eiro/2004/03/update/tn0403115u.html.

żyć, że odpowiedzi delegatów nie wskazują na istnienie tabu dotyczącego tej kwestii, gdyż wszyscy respondenci odpowiedzieli na to pytanie. Liczby przedstawione poniżej pokazują przewagę wśród delegatów tych osób, które były członkami PCB przez ostatnie dziewięć lat rządów komunistycznych.

Lata wstąpienia do PCB:
Przed 1960 r.   3,1%
1960–1969   19,3%
1970–1979   36,2%
1980–1989   42,5%.

Bardzo wysoki odsetek dawnych członków PCB wśród kadr partyjnych średniego szczebla jest również wynikiem polityki personalnej prowadzonej w partii. 83,9% aktywistów wstąpiło do partii w momencie jej powstania, niewielu zaś zapisało się do PSB w czasie jej późniejszej działalności. Jest standardem, że na kongresach przeważają osoby z długoletnim doświadczeniem w partii, a liczba nowych przedstawicieli jest stosunkowo niewielka. Z jednej strony obecność długoletnich członków partii w strukturach przedstawicielskich organizacji może być rozumiana jako wynik procesu uczenia się na poziomie partii, implikując właśnie proces stopniowego awansu w wewnętrznych strukturach partii i lojalności wobec „twardego rdzenia" tworzonego przez dawnych ojców założycieli i odnowicieli partii. Z drugiej strony fakt, że większość delegatów jest członkami partii od początku jej założenia, ukazuje niską przepuszczalność struktur władz wewnątrz partii, a także istnienie znaczących elementów konserwatywnych w strukturach decyzyjnych. Poza tym należy wspomnieć, że w odróżnieniu od elit politycznych krajów postkomunistycznych, które generalnie dążą do zerwania ze swoją komunistyczną przeszłością, delegaci PSB zakładają istnienie kontynuacji między Bułgarską Partią Komunistyczną a Bułgarską Partią Socjalistyczną, do której obecnie należą. Jedna trzecia delegatów (33,4%) wskazuje na ciągłość pomiędzy PCB i PSB, uznając ją za główny powód wstąpienia do partii, co przewyższa liczebnie kategorię tych, którzy tłumaczą członkostwo w partii przekonaniami ideologicznymi (26,4%).

Do tego wymiaru analizy dotyczącej związków z przeszłością należy dorzucić jeszcze jeden: dla delegatów na kongres partii ciągłość historyczna ma nie tylko aspekt osobisty, ale również rodzinny: 62,2% ojców i 38,3% matek przedstawicieli było wcześniej członkami PCB. Różnica w poziomie członkostwa między ojcami i matkami tłumaczona jest z pewnością mniejszą feminizacją PCB. W Bułgarii istnieje rodzinna tradycja przynależności do partii i wspierania „czerwonych". Sięga ona zresztą dwudziestolecia międzywojennego oraz drugiej wojny światowej.

Przywiązanie do lewicy

Delegaci PSB uważają się za ludzi lewicy (83,8%), sytuując swoje poglądy na czterech pierwszych miejscach skali lewica–prawica (0 – skrajna lewica, 7 – skrajna prawica). Nie przyjmując stanowisk skrajnych, deklarują się w większości jako osoby należące do nurtu centrolewicowego (60,2%). Istnieje pewna zbieżność między samoidentyfikacją na osi lewica–prawica a postrzeganiem stanowiska partii. 77,6% delegatów postrzega swoje ugrupowania jako lewicowe. Można zatem stwierdzić, iż 51,5% delegatów uważa, że ich indywidualna pozycja na osi lewica–prawica dokładnie odpowiada tej partyjnej, podczas gdy 32,1% utrzymuje, że partia jest bardziej prawicowa niż oni sami. Nie ma więc znaczącej rozbieżności między poglądami kadr partyjnych średniego szczebla a postrzeganiem stanowiska ideologicznego formacji.

Poglądy delegatów

Bułgarska Partia Socjalistyczna często bywa uważana za następczynię Bułgarskiej Partii Komunistycznej, której tylko częściowo udało się przyjąć pragmatyczne podejście, adaptując się do nowych tendencji postkomunistycznych i zachowując jednocześnie przywiązanie do wartości marksistowskiej lewicy[9]. W dalszej części rozdziału zostaną podjęte próby określenia poglądów delegatów na kongres, ponieważ to właśnie oni ustalają główne polityczne linie programowe partii i jej kierunki doktrynalne. Czy istnieje jednolitość stanowiska delegatów w kwestiach gospodarczych, społecznych czy polityki międzynarodowej kraju? W jakiej mierze deklaratywne lewicowe usytuowanie partii można zauważyć na poziomie kadr partyjnych średniego szczebla? Innymi słowy – czy ciągłość ideologiczna tej partii i brak reformy jest jedynie odpowiedzią na oczekiwania zgnębionego elektoratu,

---

[9] A. Bozoki, J. Ishiyama (red.), *The Communist Successor...*, op. cit., s. 5.

czy też przeciwnie, stanowisko, jakie reprezentują partyjni działacze odzwierciedla ich głębokie przekonania?

Sprawy gospodarcze

Delegaci PSB niemal jednomyślnie opowiadają się za zmniejszeniem różnic w dochodach (86,7%), zwiększeniem roli związków zawodowych w podejmowaniu ważnych decyzji gospodarczych (87,1%) oraz sprzeciwiają się uzależnieniu wysokości zasiłków rodzinnych od zarobków rodziców. Widać więc, że delegaci prezentują silne przywiązanie do wartości socjaldemokratycznych, które są przedmiotem wyraźnego konsensusu między wszystkimi analizowanymi kategoriami. Dążenie do większej sprawiedliwości społecznej oraz do jednej stawki zasiłku rodzinnego oznacza wierność wartościom lewicowym. Z drugiej strony warto zauważyć, iż pomimo niskiego poziomu uzwiązkowienia delegatów obecnych na kongresie zdecydowanie opowiadają się oni za przyznaniem większego znaczenia związkom zawodowym w podejmowaniu ważnych decyzji ekonomicznych.

We wszystkich krajach Europy Środkowej i Wschodniej kwestie, które polaryzują poglądy opinii publicznej, ale również elit politycznych, dotyczą roli, jaką państwo powinno odgrywać w gospodarce, oraz prywatyzacji. Dlatego właśnie delegatom zadaliśmy pytanie o prywatyzację dużej wytwórni tytoniu Bulgartabak, ważną ekonomicznie, ale będącą też drażliwym tematem ze względu na mniejszość turecką, która stanowi znaczną część pracowników firmy. Zdania były podzielone: 54,1% wypowiadała się raczej lub zdecydowanie przeciw prywatyzacji, natomiast popierało ją 41,4%. Nie ma znaczących czy poważnych różnic między poszczególnymi parametrami (wykształcenie, wiek, zawód itp.). Trudno w tym wypadku mówić o niechęci ideologicznej do prywatyzacji jako takiej. Natomiast teoretyczne twierdzenie, według którego „im mniejszy interwencjonizm państwa, tym lepsza kondycja gospodarki", zostaje odrzucone przez dwie trzecie uczestników kongresu, podczas gdy 1/3 zgadza się z tą liberalną wizją gospodarki.

Analizując równolegle odpowiedzi na obydwa pytania, można zauważyć niuanse stanowisk delegatów w zakresie roli państwa. I tak 20% delegatów wyraża raczej liberalne podejście, opowiadając się za prywatyzacją i przeciwko bezpośredniemu zaangażowaniu państwa w gospodarkę, podczas gdy spory odsetek członków (39,5%) nadal reprezentuje wartości socjalistyczne, wypowiadając się przeciwko prywatyzacji oraz przeciwko zmniejszeniu roli państwa w gospodarce.

Niezależnie od tego tworzą się dwie inne kategorie: 22,9% delegatów opowiada się za prywatyzacją państwowego przedsiębiorstwa wskazywanego w ankiecie, jednocześnie akceptując wpływ państwa na gospodarkę. Wreszcie ostatnia kategoria dotyczy tych, którzy mimo ich przywiązania do raczej liberalnej wizji roli państwa są przeciwni szybkiej prywatyzacji Bulgartabak.

Kwestie społeczne

Zdecydowana większość delegatów PSB, zarówno mężczyzn, jak i kobiet, broni tradycyjnej wizji rodziny, wiążąc małżeństwo z prokreacją (85,8% jest zdecydowanie i raczej za tym, że jeśli chce się mieć dzieci, należy wziąć ślub). Należy zauważyć, iż poparcie dla tradycyjnego modelu rodziny występuje we wszystkich kategoriach wiekowych, nawet jeśli obserwuje się spadek akceptacji dla tradycyjnej roli rodziny w przypadku ludzi młodych.

Warto przeanalizować, jaka – zdaniem delegatów – powinna być rola kobiet w społeczeństwie. Mimo że 52,5% respondentów jest zdecydowanie lub raczej przeciwnych poglądowi, iż kobieta powinna pozostać w domu i wychowywać dzieci, to 47,5% delegatów ma odmienne zdanie. Zwraca uwagę różnica poglądów mężczyzn i kobiet w tej sprawie, ponieważ tylko 24,5% kobiet popiera tradycyjny podział ról płciowych. Jeśli chodzi o wykształcenie, jedynie osoby posiadające dyplom ukończenia wyższych studiów magisterskich nie zgadzają się z tym stwierdzeniem. Różnicę w poglądach widać także między wierzącymi i niewierzącymi. Ci pierwsi najczęściej uważają, że naturalne miejsce i zajęcie dla kobiety to dom i opieka nad dziećmi.

Bardziej otwarte podejście pokazują odpowiedzi na pytanie o antykoncepcję. 82,5% delegatów popiera regularną dostępność prezerwatyw w szkołach jako sposób na walkę z AIDS. 80% delegatów wypowiedziało się przeciwko zakazowi aborcji. Istnieją tylko niewielkie różnice w tej kwestii między wierzącymi i niewierzącymi, co oznacza, że wpływ religii na życie codzienne i wartości Bułgarów jest dość ograniczony (w każdym razie wśród osób uczestniczących w kongresie).

Delegaci PSB bronią tradycyjnie silnej wizji rodziny i pozycji kobiet w społeczeństwie. Homoseksualizm jest masowo traktowany jako poważny problem społeczny, a równouprawnienie kobiet nie jest powszechnie akceptowane. Jedynie pytania związane z aborcją i dostępnością prezerwatyw w szkołach różnicują ten obraz. Kwestie te są tradycyjnie związane z wpływami Kościoła na społeczeństwa zachodnie, a – jak wspomniano wcześniej – bułgarski Kościół w znacznym stopniu je stracił. Laicyzacja nie powoduje jednak, przynajmniej na razie, zmiany postaw w stosunku do homoseksualizmu.

Ta konserwatywna, a w pewnych aspektach autorytarna wizja społeczeństwa potwierdza się też przy innych okazjach. 88,4% działaczy całkowicie zgadza się ze stwierdzeniem, że szkoła powinna wychowywać dzieci przede wszystkim w duchu dyscypliny i poszanowania dla ciężkiej pracy. Niektóre autorytarne tendencje mogą być określone również w odniesieniu do pytania o większe dofinansowanie na przykład policji. 84,8% delegatów wypowiada się za zwiększeniem środków na utrzymanie i działalność policji. Przy interpretacji wyników należy oczywiście brać pod uwagę wysokie poczucie braku bezpieczeństwa społeczności bułgarskiej, poziom korupcji i wpływ przestępczości zorganizowanej na bułgarskie społeczeństwo. Podobnie można interpretować odpowiedzi delegatów odnoszące się do legalizacji miękkich narkotyków (marihuany). Nie jest zaskoczeniem, że znacząca większość, bez względu na grupę wiekową, jest przeciwna jakiejkolwiek legalizacji tego typu używek. Poziom wykształcenia nie powoduje zmiany poglądów na ten temat. Warto zaznaczyć, iż poparcia dla legalizacji miękkich narkotyków udzieliły głównie osoby z wyższym wykształceniem.

Co jest szczególne w przypadku kraju, który nie tak dawno wstąpił do UE, to fakt, iż ponad 60% delegatów opowiedziało się za przywróceniem kary śmierci, a przeciw jest jedynie 9,7% . Popierają ją zarówno mężczyźni, jak i kobiety, i to we wszystkich grupach wiekowych. Przywrócenie kary śmierci jest popierane niezależnie od poziomu wykształcenia, statusu zawodowego i faktu bycia wierzącym lub nie.

Jedynie problem eutanazji różnicuje na nowo obraz konserwatyzmu i obrony tradycyjnych wartości rodziny i społeczeństwa bułgarskiego oraz potwierdza po raz kolejny dystans wobec opinii Kościoła, gdyż 56,8% ankietowanych jest zdecydowanie lub raczej przychylnych legalizacji eutanazji, podczas gdy 35% się jej sprzeciwia.

Można zaobserwować, iż poza tym, że bułgarscy delegaci akceptują socjalizm państwowy, to również bronią konserwatyzmu autorytarnie zróżnicowanego na poziomie wartości społecznych. Poziom nietolerancji względem homoseksualizmu oraz poparcie dla kary śmierci są ważnymi oznakami silnego konserwatyzmu, który nie ma jednak źródeł w uczuciach religijnych. Zróżnicowanie tych stanowisk pokazuje już stopień otwartości w stosunku do problemu antykoncepcji i eutanazji.

Delegaci na kongres PSB są to głównie starsi politycy, będący reprezentantami ciągłości – na poziomie osobistym i rodzinnym – z komunistyczną przeszłością. To dawni członkowie partii, lokalni urzędnicy i osoby zaangażowane w zarządzanie sprawami na poziomie lokalnym. Poglądy delegatów składają się na obraz partii jako socjalistycznej formacji politycznej w tradycyjnym, ekonomicznym tego słowa znaczeniu. Aktywiści opowiadają się za znaczącą rolą państwa, zmniejszeniem nierówności w zarobkach obywateli i ważną pozycją związków zawodowych. Na poziomie kulturowym są oni depozytariuszami wartości konserwatywnych, tak w sprawach edukacji, jak i rodziny. Należy również zauważyć, że w odróżnieniu od innych krajów Europy Środkowej i Wschodniej na konserwatyzm nie mają wpływu Kościół czy wyznawana religia.

Pobieżna charakterystyka PSB przedstawia klasyczną konfigurację w partiach socjaldemokratycznych Europy Zachodniej lat 60. i 70.: postępowe na poziomie ekonomicznym i konserwatywne w kwestiach społecznych. Dzisiaj socjaldemokratyczne formacje na zachodzie Europy w znacznym stopniu zmieniły już swoje poglądy na tematy społeczne, chcąc przyciągnąć do siebie nowe grupy społeczne wyznające wartości postmaterialistyczne. Jednak nie istnieją one jeszcze w Bułgarii, nie ma zatem potrzeby inkorporowania wyznawanych przez nie wartości do programu PSB, co sprawia, że partia i jej działacze pozostają reprezentatywni dla populacji bułgarskiej, w każdym razie dla małych miast z prowincji.

Delegaci rumuńskiej Partii Narodowo-Liberalnej

Profil społeczno-zawodowy

Większość delegatów PNL[10] to mężczyźni (88,5%) w wieku 40–59 lat (63,6%), pochodzący ze wszystkich regionów kraju. Podobnie jak

---

[10] Ankieta będąca podstawą tego badania została przeprowadzona na Nadzwyczajnym Kongresie PNL odbywającym się 12–13 stycznia 2007 r. w Bukareszcie. Jego celem było gruntowne przekształcenie statutu partii, wybór krajowego

przeważająca część rumuńskiego społeczeństwa uważają się za wierzących (97%), głównie prawosławnych (88,8%), raczej niepraktykujących – jedynie 12,9% z nich potwierdza, że uczęszcza na nabożeństwa w kościele przynajmniej raz w tygodniu.

Aktyw partyjny PNL reprezentuje wysoki poziom wykształcenia w stosunku do populacji kraju. Tylko 12,2% delegatów nie ma wyższego wykształcenia, 1/3 ukończyła studia podyplomowe. 93% delegatów jest aktywnych zawodowo. W partii słabo reprezentowani są emeryci (4%) i studenci (2,3%). Członkowie PNL pracują głównie jako kadra kierownicza (45,7%), przedstawiciele wolnych zawodów (20,1%), funkcjonariusze służby cywilnej (11,1%), jedynie 9% stanowią pracownicy umysłowi. Niedostateczna reprezentacja kategorii tych ostatnich odpowiada zresztą typowemu profilowi członków partii liberalnych. 1/3 delegatów pracuje w administracji państwowej i samorządowej (na etatach partyjnych lub administracyjnych), 12% w handlu i usługach, 9% w szkolnictwie, a ok. 7% jest zatrudnionych w sektorach takich jak ochrona zdrowia, finanse itp. Tak więc wewnętrzna struktura kongresu PNL nie jest odbiciem struktury społeczeństwa, jest to raczej partia utworzona z reprezentantów klasy średniej.

Profil polityczny delegatów

Przedstawiciele PNL sprawujący funkcje publiczne to raczej osoby z wieloletnim doświadczeniem w partii. Przyglądając się profilowi delegatów, można jednak zauważyć, że decyzje o wstąpieniu do partii nie zapadły w tym samym czasie. Mimo wszystko możliwe jest określenie sztywnego trzonu partii, stworzonego przez 1/4 delegatów (24,3%), a składającego się z osób, które zostały jej członkami w pierwszych latach po okresie gwałtownych przemian politycznych (1990–1992), 60 delegatów zaś dołączyło do tej formacji politycznej w roku gruntowej przebudowy partii (1990). Okres, gdy partia została wzmocniona ludźmi odgrywającymi ważną rolę na kongresie, to lata 2001–2004 w trakcie kadencji rządu PSD (28,9% delegatów), kiedy PNL przeszła wewnętrzną reformę i przyjęła strukturę głównej partii opozycyjnej. Lata 1993–1996 to okres najsłabszej popularności

---

przywództwa, a także wypracowanie kompromisu wśród skonfliktowanych członków partii. Na pytania odpowiedziało 401 delegatów.

partii, jej szeregi zasiliło wówczas jedynie 15,9% delegatów, którzy
weszli w skład partyjnego aktywu; PNL nie była wtedy reprezentowana w parlamencie. Należy również zaznaczyć, że niewielu działaczy (jedynie 6,1% uczestników kongresu) wstąpiło do PNL w latach
2005–2007. Niski odsetek nowych członków partii sugeruje, że aby
zostać delegatem PNL, potrzebny jest pewien okres socjalizacji oraz
zdobycie doświadczenia w organizacji lokalnej.

Delegaci PNL sytuują siebie samych na osi lewica–prawica w centroprawicy (wokół wartości 5 w skali 0–7). Jedynie 3,3% respondentów widzi się po lewej stronie sceny politycznej. Ponadto 2/3 delegatów uważa, że istnieje widoczna zbieżność między ich własnymi
poglądami a stanowiskiem partii, i umiejscawia ją w tym samym co
siebie miejscu na osi prawica–lewica. Większość kadr partyjnych
średniego szczebla podała jako główny powód wstąpienia do partii
względy ideologiczne, przekonania liberalne. W ich przypadku wierność partii buduje się na zbieżności ich własnych opinii z zasadami
głoszonymi przez partię.

Poglądy delegatów

Sprawy gospodarcze

Delegaci na kongres reprezentują poglądy charakteryzujące umiarkowany liberalizm gospodarczy. Sprzyjają prywatyzacji (73,8%)
i wspierają zmniejszenie roli państwa w gospodarce (90%). Popierają
gospodarkę liberalną, gdyż 60% delegatów opowiada się za zasadą
proporcjonalności między dochodami rodziców a wysokością zasiłków rodzinnych oraz za tym, by obywatele mogli indywidualnie decy-
dować o poziomie opieki socjalnej, z której będą korzystać (71,3%).
Delegaci na kongres są raczej przeciwni zwiększeniu władzy organizacji związkowych (51,5%). Istnieje jednak pewna skłonność do polityki interwencjonizmu państwowego. I tak 71,7% delegatów twierdzi,
iż należy wprowadzić system pracy tymczasowej jako narzędzie walki
z bezrobociem, a 51,2% potwierdza słuszność zmniejszenia nierówności w zarobkach obywateli.

Aby zrozumieć strukturę różnic zidentyfikowanych wewnątrz partii, należy określić istnienie kilku wymiarów na poziomie poglądów
delegatów. To pozwala uporządkować opinie działaczy, poczynając od
poglądów na gospodarkę. Istnieje kilka typów liberalizmu: konserwa-

tywny (opowiadający się za zmniejszeniem różnic w dochodach, ale także za zróżnicowaniem zasiłków rodzinnych w zależności od wysokości zarobków rodziców); skrajny (neoliberalizm), wspierający ideę leseferyzmu w gospodarce; umiarkowany, wyrażający się poparciem dla prywatyzacji, ale też aktywną rolę państwa w celu zapewnienia ochrony socjalnej.

Kwestie społeczne

Delegaci na kongres reprezentują wartości raczej konserwatywne, jeśli chodzi o rodzinę i seksualność. 73,5% uważa za konieczne zawarcie związku małżeńskiego, jeśli planuje się mieć dzieci, oraz jest negatywnie nastawiona do związków osób tej samej płci. Jedynie połowa przedstawicieli struktur lokalnych uważa, że należy być tolerancyjnym wobec związków homoseksualnych (47,7%), a tylko 18,4% wypowiada się pozytywnie w kwestii legalizacji małżeństw homoseksualnych. Delegaci są bardziej przychylni pomysłowi dostępności prezerwatyw w szkołach w celu walki z AIDS (71,6%), 84,1% uważa zaś, że szkoła powinna wychowywać w duchu dyscypliny i poszanowania dla ciężkiej pracy. Ponadto aktyw partyjny opowiada się przeciwko zakazowi aborcji (84,1%) oraz wykonywaniu kary śmierci (76,8%). Również w odniesieniu do kwestii eutanazji większość działaczy jest jej przeciwna (56,9%). Tak więc można zauważyć, że stanowiska delegatów w kwestiach społecznych są raczej niespójne, łączą zjawiska odnoszące się do doświadczeń osobistych oraz opinii, na które może wpływać duża liczba zadeklarowanych wierzących.

Najbardziej postępowe poglądy reprezentują ludzie młodzi. Jedynie bowiem ci poniżej 29 roku życia są przeciwko stwierdzeniu o nierozerwalnym związku pomiędzy małżeństwem a decyzją o posiadaniu potomstwa. Jeśli zaś chodzi o stosunek do homoseksualizmu, tylko respondenci w wieku 20–39 lat uważają, że należy być tolerancyjnym wobec związków osób tej samej płci, ale przedstawiciele żadnej kategorii wiekowej nie popierają gremialnie idei prawa do zawierania małżeństw homoseksualnych.

Próbując uporządkować odpowiedzi udzielone przez delegatów, dotyczące kwestii społecznych, można zidentyfikować kilka wymiarów ujawnionych różnic. I tak istnieje wymiar odnoszący się do „stanowisk postępowych w kwestii seksualności i rodziny" (poparcie dla aborcji, tolerancja wobec związków homoseksualnych). Drugi aspekt jest określony raczej jako poglądy „umiarkowanie postępowe w stosunku do wartości społecznych", które mogą być opisane jako otwartość na pytania o wolność wyboru (eutanazja czy legalizacja miękkich narkotyków), z jednoczesnym zachowaniem tradycyjnego stanowiska w kwestii rodziny i konieczności zawarcia małżeństwa w celu posiadania potomstwa. Wreszcie trzeci wymiar porządkuje opinie delegatów dotyczące edukacji dzieci, poprzez poparcie „konserwatywnego kształcenia". Wspiera on ideę dyscypliny, która powinna przyświecać szkole, jak również wyraża się w sprzeciwie wobec dostępności prezerwatyw w szkołach.

Podsumowując, profil delegata PNL jest zatem następujący: osoba bardzo dobrze wykształcona, aktywna zawodowo, o wysokim statusie społecznym, często bezpośrednio zaangażowana w tworzenie polityki na poziomie lokalnym (poprzez sprawowanie funkcji w organach zarządzających). Elity partii to również elity polityczne na szczeblu lokalnym. Delegaci na kongres PNL to długoletni członkowie partii, którzy obserwują rozwój sceny politycznej i bezpośrednio uczestniczą w działaniach i podejmowaniu decyzji. Nawet jeśli są członkami posiadającymi wieloletnie doświadczenie partyjne, można zauważyć, że wstępny proces selekcji w PNL nie jest chwilowy, ale jest to proces odnowy i stopniowego promowania członków partii na stanowiska przedstawicielskie. Kadry partyjne średniego szczebla są wierne ugrupowaniu, co przejawia się przede wszystkim przywiązaniem do jego głównych zasad i doktryny liberalnej.

W odniesieniu do przekonań i wartości wyznawanych przez delegatów można obserwować podejście centroprawicowe względem problemów gospodarczych (szczególnie sprzeciw wobec interwencjonizmu państwowego, ale nie wykluczając pewnego poparcia dla ochrony socjalnej oraz zmniejszenia różnic w dochodach) i raczej konserwatywne postawy, jeśli chodzi o wartości społeczne, szczególnie gdy dotyczy to rodziny i seksualności.

Na poziomie ogólnym PNL prezentuje profil spójnej partii kadrowej, skłonnej poprzeć istniejącą konfigurację polityczną. Siła spójności liberalnego aktywu partyjnego kryje się w ogólnej tendencji utożsamiania się z kierunkiem ideologicznym formacji. Ta jednolitość opinii i profilu delegatów, mimo procesu odnowy aktywu partyjnego i faktu, że 1/3 przedstawicieli wywodzi się z innych ugrupowań politycznych, może stanowić wyjaśnienie organizacyjnej trwałości PNL. W tle, poza różnymi politycznymi sojuszami, które umożliwiały wejście partii do rządu, i poza manewrami strategicznymi stanowiska partii, co pozwoliło jej przetrwać wewnętrzne podziały, zawsze istniał wymiar spójności ideologicznej wyrażany przez najaktywniejszych członków partii. Tak więc twardy trzon partii reprezentowany przez jej aktyw buduje się poprzez jednolitość wartości i przekonań. Taka jednolitość opinii, jak również rozdrobnienie systemu partyjnego w Rumunii ujawniają się w wymiarze strategicznym, zależnym bezpośrednio od walki o władzę wewnątrz partii.

Delegaci rumuńskiej Partii Demokratyczno-Liberalnej

Profil społeczno-zawodowy

Delegaci PDL[11] to w większości mężczyźni (80,2%) w wieku 40–59 lat (59,5%). Znaczącą liczbę jej członków stanowi młodzież – 13,6%. Podobnie jak większość społeczeństwa działacze PDL są osobami wierzącymi (98,5%), głównie wyznania prawosławnego (96,6%). Jednakże są to raczej wierzący niepraktykujący, gdyż tylko 12,3% przyznaje, że chodzi na nabożeństwa kościelne przynajmniej raz w tygodniu.

Członkowie PDL są bardzo dobrze wykształceni w porównaniu z ogółem społeczeństwa. Jedynie 15,4% delegatów nie posiada wykształcenia wyższego, natomiast 75,6% ukończyło studia magisterskie. Ta rozbieżność w stosunku do społeczeństwa rumuńskiego jest znaczna. Podobnie wygląda sytuacja, jeśli chodzi o miejsce zamieszkania aktywu partyjnego, który w 80% wywodzi się z miast (w tym 14% z Bukaresztu), a jedynie 2% pochodzi z małych miasteczek. Najliczniejsi w PDL są przedstawiciele kadry kierowniczej (38%) i wolnych zawodów (16,7%). Rolnicy oraz robotnicy są właściwie nieobecni. Paradoksalnie, najbardziej reprezentowany sektor działalności to administracja lokalna (19,3%), co można tłumaczyć faktem, że 20,9% respondentów sprawuje funkcje związane z polityką. Inne licznie reprezentowane sektory to handel oraz budownictwo i transport.

---

[11] Badanie zostało przeprowadzone 15 grudnia 2007 r. Na pytania zawarte w ankietach odpowiedziało 786 delegatów.

Profil polityczny delegatów

Jedną ze specyficznych cech PDL jest fakt, iż ponad 1/3 delegatów to nowi członkowie, którzy wstąpili do partii w ciągu roku poprzedzającego nasze badania. Czy zachętą dla nich było połączenie Partii Demokratycznej z odłamowym skrzydłem PNL? Czy członkowie dawnych formacji zdecydowali, że przejdą do nowej partii? W każdym razie „historyczni" delegaci są nieliczni, ale prawdą jest, że „przodkowie" PDL doświadczyli wielu perypetii organizacyjnych. Jedynie 7,8% delegatów tej partii ma poglądy lewicowe, 71,3% zaś centroprawicowe. Prawie 40% delegatów PDL pełni funkcje w polityce: 36,7% na poziomie lokalnym, 19,5% na szczeblu władz regionalnych i 17,6% w urzędach miejskich. Niektórzy sprawują kilka różnych funkcji. Ale dane te pokazują, że partia i jej aktyw są również zaangażowane w zarządzanie lokalne.

Poglądy delegatów

Sprawy gospodarcze

Poglądy aktywu partyjnego PDL cechuje liberalizm gospodarczy i konserwatyzm społeczny. 62,3% z nich popiera prywatyzację, 74,2% twierdzi, że związki zawodowe mają zbyt dużą władzę, 73,4% wspiera pracę tymczasową jako narzędzie walki z bezrobociem, a ponad 85% pomysł, aby obywatele sami ustalali poziom ich opieki socjalnej. 81,2% uważa, że im mniejszy jest interwencjonizm państwowy, tym gospodarka funkcjonuje lepiej. Natomiast 70,6% broni poglądu, iż należy zmniejszyć różnice w zarobkach obywateli.

Kwestie społeczne

Delegaci bronią konserwatyzmu oraz tradycyjnych wartości. 79,4% respondentów sprzeciwia się legalizacji miękkich narkotyków, 69,7% uważa za konieczne wstąpienie w związek małżeński, jeśli planuje się mieć potomstwo, a 83,7% jest przeciwko zawieraniu małżeństwa przez osoby homoseksualne. 80,4% twierdzi, że szkoła powinna wychowywać dzieci w duchu dyscypliny. Przedstawiciele PDL sprzeciwiają się przywróceniu kary śmierci (62,5%). 75,1% respondentów popiera pomysł dostępności prezerwatyw w szkołach jako walkę z AIDS.

Członków partii dzieli pogląd dotyczący eutanazji. Za jej legalizacją opowiada się 44,6% delegatów, a 55,6% jest przeciw. Natomiast jedynie 19,7% popiera zakaz aborcji, co może wiązać się ze świadomością, iż został on nałożony przez komunistyczny reżim Nicolae Ceauşescu, co doprowadziło do wielu dramatów w rumuńskich rodzinach.

Delegaci Węgierskiej Unii Demokratycznej w Rumunii (UDMR)

Profil społeczno-zawodowy

Delegaci UDMR[12] to w znacznej większości mężczyźni (84,1%). 30,3% członków tej partii ma 50–59 lat, młodzi zaś są słabo reprezentowani na kongresie (jedynie 4,9% uczestników ma poniżej 29 lat). Wiek połowy delegatów UDMR przekracza 50 lat (50,3%).

Mniejszość węgierska w Rumunii jest w przeważającej mierze wierząca: 41% deklaruje się jako katolicy, 47% jako protestanci. Wśród delegatów 50,1% stanowili katolicy, 38% – protestanci, 2,8% – osoby wyznania unitariańskiego. Należy zaznaczyć, że w przypadku 2/3 delegatów UDMR to wierzący praktykujący: 33,1% aktywu partyjnego potwierdza uczęszczanie na nabożeństwa kościelne przynajmniej raz w tygodniu, a 32,1% przynajmniej raz w miesiącu. Należy również zauważyć, że te równe podziały są reprezentatywne dla różnych wspólnot religijnych wśród ludności węgierskiej w Rumunii. Ateiści są liczniej reprezentowani na kongresie (12%) niż w społeczeństwie.

W kongresie UDMR uczestniczy relatywnie dużo mieszkańców miast. Podczas gdy węgierska mniejszość w Rumunii to aż w 47,1% mieszkańcy wsi, na kongresie ci ostatni stanowili jedynie 26,7% delegatów.

Odnosząc się do wykształcenia aktywu partyjnego UDMR, należy przyznać, że jego poziom jest wysoki: jedynie 9,5% delegatów nie miało studiów wyższych, prawie 1/3 ukończyła studia podyplomowe (27,4%). Aktyw partyjny UDMR studiował głównie profile techniczne (27,3%), ekonomiczne (14,9%) i prawnicze (13,6%). Niezależnie od tego istnieje dość duża różnorodność kierunków, na których członkowie ugrupowania podjęli studia. 94,1% działaczy partyjnych jest

---

[12] Badanie zostało przeprowadzone podczas krajowego kongresu UDMR, który odbył się w marcu 2007 r. Na pytania ankiety odpowiedziało 190 delegatów.

aktywnych zawodowo. W partii działa też niewielka liczba emerytów – 4,2%, a reprezentacja studentów jest prawie niezauważalna – tylko 0,5% delegatów należy do tej kategorii. Delegaci UDMR to raczej kadra kierownicza (37,9%) lub kadra średniego szczebla (20,3%). Należy zaznaczyć, że w pozostałej części aktywu partyjnego istnieje w miarę wyrównany podział na inne kategorie zawodowe: 9,5% to pracownicy umysłowi, 8,5% urzędnicy służby cywilnej, a 7,3% to przedstawiciele wolnych zawodów. Niemniej jednak, w stosunku do ludności kraju, kategorie pracowników umysłowych oraz robotników (2,3%) są znacznie słabiej reprezentowane. Większość delegatów obecnych na kongresie pracuje w administracji, zarówno na szczeblu centralnym (6,1%), jak i lokalnym (31,8%). Pozostali są zatrudnieni w takich sektorach jak handel i usługi (12,3%), szkolnictwo i badania naukowe (11,2%) oraz transport i budownictwo (5,6%).

Profil polityczny delegatów

Delegatów UDMR charakteryzuje wierność wobec partii, 73,6% jest bowiem członkami partii od 1991 r. Świadczy to o stabilności partii, o tym, że może liczyć na doświadczone kadry. Specyfika szerokiego ruchu strukturyzacji organizacji całego społeczeństwa węgierskiego w Rumunii wyjaśnia tę kwestię. Jednakże ta lojalność podaje w wątpliwość możliwość odbudowy elit tego ruchu. Pozycja delegatów na osi lewica–prawica ukazuje ruch bardziej centrowy niż w przypadku dwóch wcześniej analizowanych partii rumuńskich. W rzeczywistości 42,1% respondentów uważa się za przedstawicieli prawicy, 18,6% reprezentuje poglądy lewicowe, a 39,3% należy do centrum. Po raz kolejny UDMR ukazuje swoją zdolność do łączenia całego społeczeństwa węgierskiego. Prawica i centrolewica zjednoczyły się w imię obrony mniejszości etnicznej. Natomiast warto zauważyć, że delegaci oceniają partię jako bardziej centrową niż oni sami: 47% sytuuje ją w centrum, 28,9% po lewej, a tylko 24% po prawej stronie sceny politycznej.

Poglądy delegatów

Sprawy gospodarcze

UDMR, która jest członkiem Europejskiej Partii Ludowej, ujawnia swoje zakorzenienie w liberalnej umiarkowanej prawicy. 75% delegatów wspiera proces prywatyzacji, a 82% uważa, że im mniejszy interwencjonizm państwowy, tym lepsza kondycja gospodarki. 68,8% twierdzi, iż związki zawodowe mają zbyt dużą władzę, ale za to dla 70% ważne jest zmniejszenie różnic w dochodach obywateli i tylko 55,5% popiera zasadę pracy tymczasowej w celu walki z bezrobociem. Liczby te nie odbiegają znacząco od danych dotyczących np. PNL, a różnice ukazują UDMR raczej jako partię bardziej centrową, co potwierdzają opinie delegatów o własnej identyfikacji politycznej.

Kwestie społeczne

Stanowisko aktywu partyjnego w kwestiach społecznych jest dość zróżnicowane. 69,3% uważa, że małżeństwo jest koniecznym warunkiem posiadania dzieci, tylko 18% popiera legalizację miękkich narkotyków, 82,9% sprzeciwia się małżeństwom homoseksualnym, a według 90% szkoła powinna wychowywać dzieci w duchu dyscypliny i poszanowania dla ciężkiej pracy. Poza obroną wymienionych tradycyjnych wartości delegaci wykazują realny liberalizm społeczny: i tak 67,2% sprzeciwia się przywróceniu kary śmierci, 70% jest przeciwko zakazowi aborcji, 57,8% popiera pomysł dostępności prezerwatyw w szkołach, 56,6% zaś twierdzi, że należy być tolerancyjnym wobec związków osób tej samej płci. Istnieje nawet znacząca grupa respondentów (44,5%), którzy popierają legalizację eutanazji. Liczby te są ważne, jeśli weźmie się pod uwagę znaczenie praktyk religijnych wśród delegatów. Jednakże UDMR jawi się jako formacja bardziej konserwatywna niż delegaci PNL. Można to tłumaczyć bez wątpienia większym znaczeniem wspólnot religijnych oraz wpływem wiejskiego pochodzenia przedstawicieli UDMR. Natomiast nie zaskakuje, że 89,7% aktywu partii, która broni mniejszości węgierskiej, twierdzi, iż powinni oni korzystać ze specjalnych praw.

Podsumowanie

Zachodnioeuropejska literatura naukowa ukazuje partyjne krajobrazy w Europie Środkowej i Wschodniej jako mało zróżnicowane. Rzeczywiście, oferta wyborcza proponowana w transformujących się systemach politycznych była dość podobna, szczególnie w odniesieniu do partii demokratycznych. Według autorów słuszne jest stwierdzenie, że do czasu wstąpienia państw regionu do UE istniało szerokie porozumienie między elitami partyjnymi. Przygotowanie do wejścia do UE było uważane przez społeczeństwa i polityków za priorytet. Różnice polityczne zostały wyciszone. Jednak od czasu wejścia do UE widoczne jest coraz większe różnicowanie się partyjnych krajobrazów.

Przedstawione badania pokazują, że istnieje wiele realnych różnic między partiami politycznymi. Z pewnością są też podobieństwa, takie jak: konserwatyzm w kwestiach społecznych, słaba reprezentacja młodzieży, kobiet, robotników i chłopów wśród partyjnych działaczy. Ale istnieją również niuanse, a czasem nawet znaczące różnice. Na przykład kara śmierci jest wyraźnie odrzucana przez partie rumuńskie, podczas gdy większość członków PSB popiera jej przywrócenie. Również poglądy na sprawy gospodarcze różnią socjalistów bułgarskich od partii rumuńskich. Różnice między lewicą a prawicą są bardziej wyraźne i oczywiste niż między dwiema polskimi partiami opisywanymi w tej książce. Można także dostrzec rozbieżności między lewicową partią bułgarską i polską. O ile obie zachowują silne indywidualne związki z przeszłością, to różnią się w postrzeganiu problemów społeczno-ekonomicznych.

To porównawcze badanie pokazuje, że oprócz powierzchownych cech, do których ograniczały się często badania międzynarodowe nad partiami politycznymi, istnieją jednak istotne różnice między partiami politycznymi w regionie.

Kolejnym ważnym wnioskiem płynącym z badań jest całkowita zgodność poglądów aktywu i partii. Nie ma zasadniczych różnic między programami i wypowiedziami partyjnego kierownictwa a poglądami działaczy partyjnych.

Wreszcie analiza ta wyraźnie pokazuje znaczenie podziałów kulturowych i ekonomicznych w regionie. Analiza, która nie uwzględniałoby tych dwóch parametrów, byłaby niepełna i nie ukazałaby dynamiki organizacji partyjnych w Europie Środkowej. Tak samo jest dzisiaj w Europie Zachodniej, gdzie niektóre partie mogą wykazywać cechy lewicowe na poziomie ekonomicznym i postępowe w kwestiach społecznych, podczas gdy inne, również lewicowe, w sferze ekonomicznej pozostają konserwatywne, jeśli chodzi o problematykę społeczną. Badanie to wiele mówi nie tylko o tym, co reprezentuje każda z omawianych partii, ale przedstawia również ciekawe wyniki na poziomie porównawczym. Pozostaje mieć nadzieję, że również inne ugrupowania odważą się poddać takiej analizie.

Opracowanie i tłumaczenie:
Agnieszka Klisowska, Anna Pacześniak

ANNA PACZEŚNIAK, JEAN-MICHEL DE WAELE

PRAGMATYZM WYGRYWA Z IDEOLOGIĄ – KONKLUZJE

Nie ma chyba politologicznej publikacji na temat partii politycznych, która nie odwoływałaby się do sztandarowej pozycji Maurice'a Duvergera *Partie polityczne*, wydanej na początku lat 50. XX w.[1] Ustalenia tego francuskiego politologa przez wiele lat miały wpływ na przebieg debat na temat organizacji partii politycznych i wpływu prawa wyborczego na wewnętrzną strukturę partii. Do dziś odwołujemy się do jego koncepcji partii masowej i kadrowej. Wiele późniejszych analiz, dotyczących np. badania procesu ewolucji współczesnych partii w kierunku partii kartelowych Petera Maira, brało swój bezpośredni początek w refleksji Duvergera.

Rzadziej przywołuje się typologię relacji obywateli z partiami politycznymi, które Duverger zobrazował za pomocą czterech koncentrycznych kręgów odnoszących się do elektoratu, sympatyków, członków i działaczy partyjnych. We współczesnej politologii najczęściej bada się zaangażowanie polityczne obywateli na poziomie wyborczym lub prowadzi badania wśród członków partii politycznych. Zdecydowanie rzadziej analizuje się zachowania, postawy, poglądy sympatyków i działaczy partyjnych. Istnieją co najmniej dwa powody umiarkowanego zainteresowania tym obszarem badawczym. Po pierwsze, trudno precyzyjnie wskazać różnice między sympatykami, członkami i działaczami partyjnymi. Jakie cechy należy posiadać, by zostać uznanym za działacza? Problemy w zdefiniowaniu potencjalnego przedmiotu badań wynikają nie tylko ze zróżnicowania stopnia zaangażowania działaczy w zależności od ideologicznej rodziny partii, ale również z odmiennych kultur politycznych poszczególnych państw. Bycie partyjnym aktywistą amerykańskiej Partii Demokratycznej, działaczem niemieckiej socjaldemokracji czy francuskiej partii ko-

---

[1] M. Duverger, *Les partis politiques*, Colin, Paris 1951; M. Duverger, *Political Parties: Their Organization and Activity in the Modern State*, Wiley, New York 1954.

munistycznej nie oznacza tego samego. Różnice wynikają nie tylko ze specyfiki zadań przydzielanych sympatykom, członkom i działaczom przez partię, ale także z tradycji powiązań partii politycznych ze społeczeństwem obywatelskim. Po drugie, nawet jeśli poradzimy sobie ze zdefiniowaniem, kogo uznać za partyjnego działacza, pojawia się kolejna trudność: pozyskanie go do celów badawczych. O wiele łatwiej stworzyć kartotekę członków partii i do nich dotrzeć (nawet w sytuacji, gdy większość partii politycznych jest nad wyraz powściągliwych w udostępnianiu bazy danych swoich członków na potrzeby badań naukowych) czy skoncentrować się na analizie partyjnej elity na poziomie kierownictwa krajowego lub na poziomie reprezentacji parlamentarnej, niż wyodrębnić kategorię partyjnego aktywu. Poza badaniami w terenowych oddziałach partii, opierających się zwykle na pogłębionych wywiadach z ograniczoną liczbą osób, dotrzeć do partyjnych działaczy jest trudno.

Spróbowaliśmy rozwiązać oba te problemy. Z problemem definicyjnym uporaliśmy się w ten sposób, że za działaczy partyjnych uznaliśmy delegatów na partyjne zjazdy lub członków rad regionalnych partii. Dzięki temu rozwiązaliśmy problem organizacyjny związany z dotarciem do partyjnego aktywu. Znaleźliśmy go na 16 zjazdach wojewódzkich SLD i na posiedzeniach 16 rad regionalnych PO. Wyjaśniliśmy już we wstępie, iż delegaci na zjazdy i członkowie rad regionalnych to – naszym zdaniem – osoby, które poświęcając swój czas partii, głosując nad jej zmianami programowymi i wpływając na wybór kierownictwa ugrupowania, stanowią swoiste DNA ugrupowania politycznego.

Nasze badania miały na celu pogłębioną analizę m.in. struktury i poglądów kadr średniego szczebla dwóch dużych polskich partii politycznych. Dostrzegliśmy między nimi różnice, ale również sporo podobieństw, które skłoniły nas do konkluzji wykraczających poza wąsko rozumiane wnioski z przeprowadzonych badań.

To, co według nas jest charakterystyczne dla partii nie tylko w Polsce, ale także dla politycznych ugrupowań w innych byłych demokracjach ludowych, to niemożność oddzielenia grupy partyjnych działaczy od partyjnych kadr średniego szczebla. Partie w nowych demokracjach są słabo ustrukturyzowane, nie korzystają z silnych tradycji politycznego aktywizmu, dlatego stosunkowo nieliczni działacze angażujący się w życie partii zostają niemal automatycznie delegatami na partyjne zjazdy, dzięki czemu można ich zaliczyć do kadr średniego szczebla. W Europie Zachodniej partyjni aktywiści niezwykle rzadko uczestniczą w partyjnych kongresach. „Przeciętny" działacz pomaga w kampanii wyborczej, regularnie chodzi na partyjne zebrania, uczestniczy w dyskusjach, angażuje się w partyjne projekty skierowane do kobiet, ludzi starszych, dzieci etc. W Europie postkomunistycznej tego typu zachowania są rzadkie.

Drugie spostrzeżenie dotyczy niewielkiego zróżnicowania zarówno pod względem społecznym, jak i ideologicznym badanych kadr obu partii. Działacze PO i SLD to ludzie, którzy mają wyższy status społeczny od przeciętnego. Są dobrze lub bardzo dobrze wykształceni, wykonują prestiżowe zawody, często zarabiają powyżej średniej krajowej, praktycznie nie ma wśród nich bezrobotnych, robotników czy rolników. Ze względu na swoje cechy społeczno-demograficzne nie reprezentują zatem grup defaworyzowanych lub wykluczonych. Mimo to badania pokazują, że partyjni aktywiści PO i SLD nie są oderwani od rzeczywistości, nieźle reprezentują tzw. przeciętnych Polaków, mają podobne do nich opinie i poglądy, często myślą i mówią to, co mówią „zwykli ludzie". Są dobrze zakorzenieni w swoich środowiskach i to można uznać za pozytywne. Nie reprezentują bowiem innego świata niż wyborcy partii, do których należą.

Zastanawia natomiast brak większych rozbieżności ideologicznych między działaczami obu formacji. Rzecz jasna członkowie PO i SLD nie mają identycznych poglądów, każda z partii ma swoją wewnętrzną specyfikę i inny program, co sprawia, że odpowiedzi działaczy różnią się od siebie. Nie jest zaskoczeniem fakt, iż kadry Platformy są bardziej liberalne pod względem ekonomicznym, w wielu kwestiach ich poglądy sytuują się bardziej na prawo niż poglądy działaczy SLD. Ich stosunek do poprzedniego ustroju jest bardziej krytyczny niż w przypadku członków Sojuszu. Kadry SLD – tu znów bez niespodzianek – zachowują natomiast zdecydowanie większy dystans do Kościoła katolickiego niż członkowie PO, sytuują się w tej kwestii bardziej po lewej stronie politycznego spektrum. O tych i innych niewielkich różnicach była już mowa w poszczególnych rozdziałach niniejszej książki.

Z uporem szukaliśmy obszaru, w którym poglądy działaczy obu partii różniłyby się zdecydowanie. Na próżno. Nie świadczyły o tym badania w żadnym z symbolicznych obszarów: prywatyzacji, roli państwa w gospodarce, w kwestiach obyczajowych, Unii Europejskiej, polityki zagranicznej… Nie wyłoniła się wyraźnie ani jedna kwestia, która potwierdzałaby istnienie dwóch rzeczywiście opozycyjnych wobec siebie obozów. PO i SLD nie prezentują dwóch antagonistycznych wizji świata. Działaczy obu ugrupowań nie dzieli ideowa przepaść. Wśród delegatów na zjazdy partyjne i członków rad regionalnych obu partii więcej jest pragmatyków niż ideologów. Ich pragmatyzm nie oznacza jednak koniunkturalizmu. Deklarują, iż w partyjne szeregi nie wstąpili po to, aby robić polityczną karierę, a celem ich działania nie było sięganie po funkcje publiczne. Powody wstępowania do partii podawano różne, spośród nich zaś można wymienić kilka kluczowych. Są one inne dla członków SLD i PO. Działacze Platformy wymienili tutaj potrzebę naprawy państwa oraz chęć pomocy w rozwoju własnej gminy, powiatu lub regionu. To, wedle typologii Huberta Kitschelta[2], typowy przykład pragmatyzmu działaczy, którzy, doceniając konkretne osiągnięcia, angażują się tam, gdzie praktyczne działania liczą się najbardziej[3]. Z kolei kadrom SLD w podjęciu decyzji o zapisaniu się do partii najważniejsza wydawała się szansa zmiany społeczeństwa, co można uznać za motyw czysto ideologiczny, nieprzekładający się wszakże na spójny ideologicznie światopogląd.

Do podobnych konstatacji skłaniają wyniki naszych analiz przeprowadzonych w partiach rumuńskich i bułgarskich. Zarówno polskie, jak i tamtejsze partyjne elity średniego szczebla wykazują dużą dozę pragmatyzmu. Są liberalne pod względem społeczno-ekonomicznym (a nawet ultraliberalne, jeśli porównać je z wieloma siostrzanymi formacjami z Europy Zachodniej) i równocześnie konserwatywne w kwestiach obyczajowych. Próbując uporządkować odpowiedzi udzielone przez delegatów PO i SLD na pytania o te ostatnie kwestie, zidentyfikowaliśmy kilka różnych aspektów. I tak w obu partiach istnieją postępowe poglądy w kwestii seksualności i rodziny (poparcie dla aborcji, tolerancja wobec związków homoseksualnych). Drugi aspekt można określić raczej jako poglądy umiarkowanie postępowe w stosunku do wartości społecznych, których kryterium otwartości jest dokonywanie wolnych wyborów w kwestii eutanazji czy legali-

---

[2] H. Kitschelt, *The Logics of Party Formation: Eecological Politics in Belgium and West Germany*, Cornell University Press, New York 1989.

[3] Kitschelt wyróżnia trzy typy działaczy partyjnych: ideologów, którzy są partyjnymi intelektualistami i których nie interesują konkretne problemy ani lokalny poziom działania; lobbystów, którzy wywodząc się ze związków zawodowych, ruchów społecznych lub grup interesów, mają doświadczenie w społecznym działaniu i cenią sobie konkretne rezultaty oraz pragmatyków właśnie.

zacji miękkich narkotyków, z jednoczesnym zachowaniem tradycyjnego stanowiska dotyczącego rodziny i konieczności zawarcia małżeństwa w celu posiadania potomstwa. Wreszcie trzeci aspekt, który porządkuje opinie delegatów dotyczące edukacji dzieci poprzez poparcie dla konserwatywnego kształcenia. Przebiega ono w duchu dyscypliny, jak również wyraża się w sprzeciwie wobec dostępności prezerwatyw w szkołach. Mamy zatem do czynienia z inną rzeczywistością niż w państwach Europy Zachodniej. W poszczególnych krajach inaczej postrzega się np. rolę państwa, różny jest poziom centralizacji, specyficzna kultura polityczna. Wystarczy spojrzeć na głębokie różnice między etatystyczną i scentralizowaną Francją oraz liberalnymi i zdecentralizowanymi Niemcami oraz na konsekwencje, jakie one niosą dla systemów partyjnych. I nawet jeśli zgodzimy się, że globalizacja i integracja europejska prowadzą do stopniowej konwergencji systemowej i ograniczania sporów ideologicznych[4], to w europejskich demokracjach nadal utrzymują się jasne i wyraźne podziały w istotnych kwestiach politycznych. Ideologiczne spory nie wykluczają zawiązywania koalicji przez ugrupowania z różniących się ideologicznie partii ani też programowych ewolucji poszczególnych formacji, ale odmienne wizje świata brytyjskich laburzystów i konserwatystów, historyczna debata w Hiszpanii czy publiczne dyskusje wokół wielu kwestii etycznych, które są podejmowane w systemach zachodnioeuropejskich, pokazują, że między tamtejszymi partiami politycznymi istnieją wyraźne rozbieżności. Podobnie jest w Stanach Zjednoczonych, gdzie różnica między poglądami demokratów i republikanów od dziesięcioleci nie była tak bardzo widoczna jak teraz. Jeśliby wierzyć zwolennikom tezy o amerykanizacji europejskiej polityki, powinniśmy w najbliższym czasie oczekiwać, że i na naszym kontynencie różnice polityczne będą się pogłębiać.

Trudno zaprzeczyć, że w Europie następuje proces programowego zbliżania się partii politycznych. Ciągle jednak w sferze publicznej żywe są identyfikacje, które popychają wyborców – niemal na zasadzie odruchu – do udzielania poparcia konkretnym obozom politycznym. Wyznacznikiem poglądów prawicowych jest popieranie takich kwestii, jak zapewnienie bezpieczeństwa, nieufność wobec państwa

---

[4] J.M. De Waele, P. Magnette (red.), *Les démocaties européennes. Approche comparée des systèmes politiques nationaux*, Armand Colin, Paris 2008, s. 7.

(w najmniejszym stopniu podzielana przez prawicę francuską), obniżanie podatków, wyższość własności prywatnej nad państwową etc. Lewica zaś nadal wierzy, iż można i należy zmniejszać nierówności i że państwo ma tu do odegrania niepoślednią rolę, jest przekonana, że bogaci powinni płacić wyższe podatki niż biedni itd. Każda strona sceny politycznej ma swoje symbole, mityczny początek, polityczne ikony, bohaterów i charakterystyczny sposób uprawiania polityki, który koresponduje z oczekiwaniami jej elektoratu. Nasze badania zdają się pokazywać, iż w Polsce, podobnie zresztą jak w innych państwach Europy Środkowo-Wschodniej, różnice polityczne i ideologiczne są zdecydowanie mniejsze, prawie nieistniejące. Konieczne więc byłoby przeprowadzenie podobnych badań w Prawie i Sprawiedliwości, Polskim Stronnictwie Ludowym a we wcześniejszych latach także w Samoobronie i Lidze Polskich Rodzin. Jest bowiem bardzo prawdopodobne, iż głębokie podziały wśród partyjnych działaczy istnieją, ale nie tam, gdzie ich szukaliśmy, czyli nie między kadrami partii centrolewicowych i centroprawicowych, ale między liberalnymi modernizatorami z PO i SLD a obozem konserwatywnym z drugiej strony. I że to właśnie istnienie silnego obozu konserwatywnego zbliża do siebie politycznie kadry Platformy i Sojuszu.

Jakie mogą być tego konsekwencje dla obu partii i dla polskiego krajobrazu partyjnego? Jakie płyną wnioski z przedstawionych badań? Skoro kwestie ideologiczno-programowe nie mają dla partyjnych aktywistów zbyt dużego znaczenia, to bardziej zaczyna liczyć się kształtowanie wizerunku partii i marketing polityczny. Brak silnego spoiwa ideologicznego w ugrupowaniu ma swoje wady i zalety. Z jednej strony partyjnemu kierownictwu trudniej zmobilizować działaczy w „słusznej sprawie". To, że aktywiści nie mają sprecyzowanych poglądów, których gotowi są bronić, albo mają odmienne poglądy na zbyt wiele spraw, może prowadzić do wewnętrznych kryzysów, wówczas gdy konieczne staje się podjęcie w formacji decyzji w kwestiach symbolicznych. Z drugiej jednak strony taki układ pozostawia kierownictwu partii duży margines swobody w kształtowaniu wizerunku ugrupowania oraz autonomię w podejmowaniu decyzji wynikających z pragmatyzmu rządzenia. Nie istnieje niebezpieczeństwo, iż działacze lub członkowie partii potraktują decyzje podjęte przez kierownictwo jako zdradę ideałów, jak to się dzieje np. w partiach socjaldemokratycznych Europy Zachodniej.

To, że polskie partie politycznie pod względem programowym realnie się niewiele od siebie różnią, nie jest wyłącznie naszym odkryciem, podkreślali to już wcześniej inni badacze. Fakt, iż słabość identyfikacji ideologiczno-programowej potwierdza się w badaniach partyjnych działaczy, niesie implikacje dla całego systemu politycznego. We współczesnych partiach politycznych w całej Europie można zauważyć coraz silniejsze zbliżanie się ideowe partyjnych elit. Kierownictwa partii (zwłaszcza ugrupowań rządzących) udzielają podobnych odpowiedzi na pytania dotyczące gospodarki, ordynują niewiele różniącą się terapię np. wychodzenia z kryzysu, i to niezależnie od tego, którą stronę sceny politycznej reprezentują. To jednak wcale nie musi oznaczać partyjnego mimetyzmu. W Europie Zachodniej pragmatyczni liderzy kierują formacjami, których działacze bezkompromisowo bronią przeciwstawnych wizji społecznych. Kierownictwo partii, świadome realiów ekonomicznych i politycznych, może być gotowe do dużych ustępstw nawet w kluczowych dla ugrupowania kwestiach ideowych (zwłaszcza jeśli celem jest stworzenie koalicji rządzącej), natomiast czystość ideologiczna jest tym, co charakteryzuje partyjną bazę i jej działaczy. Ci mobilizują się zwłaszcza w karnawale demokracji, czyli podczas kampanii wyborczych, co w konsekwencji polaryzuje scenę polityczną. Partie są wówczas wyraziste, o coś walczą, czegoś bronią, mają spójną wizję społeczno-polityczną. Wyborcom łatwiej jest dzięki temu uwierzyć, że w dniu elekcji stoją przed realną alternatywą.

W Polsce, co pokazały również nasze badania, ugrupowania przejawiają pragmatyzm na wszystkich szczeblach, nie tylko w klubach parlamentarnych i ścisłym kierownictwie, ale także w tzw. terenie, wśród lokalnego aktywu. Komentatorzy polityczni twierdzą nawet, że nastał czas „postpolityki", gdzie nie ma miejsca na ideologiczne spory i debaty o kwestiach fundamentalnych (co zresztą podnoszą przedstawiciele PiS – tym głośniej, im dłużej ich partia jest w opozycji). Pragmatyzm politycznych aktorów może być jednym z eksplanatorów słabej mobilizacji działaczy partyjnych, niskiego poziomu członkostwa, wysokiej absencji wyborczej. Pragmatyzm nie jest bowiem w stanie rozpalić politycznych emocji. Jeśli ugrupowania wydają się albo do siebie zbyt podobne, albo skupione na problemach dalekich od realnych problemów społecznych, to po co zapisywać się do partii, po co działać, po co wreszcie uczestniczyć w wyborach? Poziom mobilizacji politycznej wyjaśniają różne czynniki, ale jednym z najważniejszych jest przekonanie obywateli, że polityczna gra toczy się o wysoką stawkę, na którą jako wyborcy mają rzeczywisty wpływ.

Wyniki naszych badań mogą być odczytane także jako dobra nowina dla partyjnego kierownictwa SLD i PO, pokazują bowiem, że ich działacze zgadzają się z ideami ugrupowań, do których należą. Nie ma znaczących różnic między programem partii, jej oficjalnym dyskursem i poglądami jej działaczy. Nie znaleźliśmy ani jednej poważnej kwestii, która byłaby kontestowana w łonie partii przez jej kadry i aktywistów. Taka zgodność nie zawsze jest oczywista. Nie tak wcale rzadko zdarza się bowiem, że aktyw partyjny sytuuje swoje poglądy zdecydowanie bardziej na prawo lub na lewo od oficjalnej pozycji swojego ugrupowania. W Belgii kierownictwo frankofońskiej partii chrześcijańsko-demokratycznej (Centre démocrate Humaniste) ma bardziej lewicowe poglądy niż członkowie i działacze tej formacji. We Francji i Wielkiej Brytanii przekonania elit partii socjalistycznych są z kolei przesunięte bardziej na prawo niż ich bazy partyjnej. Zgodę w SLD i PO można zatem traktować jako świadectwo stabilności struktur. Obie partie mają wewnętrzną spójność. Wśród ich członków nie istnieje rzecz jasna jednomyślność, wyczuwalne są pewne napięcia, jednak analiza postaw kadr średniego szczebla nie ujawnia wewnątrzpartyjnych frakcji ideowych. Możemy zatem mówić raczej o grupach skupionych wokół opiniotwórczych i znaczących osobowości, których ewentualne spory są podchwytywane przez media, ale jest to cecha charakterystyczna dla wszystkich partii politycznych.

Opisane rezultaty badań ukazują interesujący obraz Polski, którą zdają się reprezentować partyjne elity średniego szczebla Sojuszu Lewicy Demokratycznej i Platformy Obywatelskiej. Polski otwartej i skierowanej „ku Zachodowi". Zdajemy sobie sprawę, że to obraz niepełny, uboższy o co najmniej dwie analizy: partyjnych kadr Prawa i Sprawiedliwości i Polskiego Stronnictwa Ludowego. Ale skoro popularne hity filmowe mogą mieć swoje *sequele*, liczymy, że i nam uda się wkrótce dopisać dalszą część tej książki.

ANEKS

KWESTIONARIUSZ WYPEŁNIANY PRZEZ DELEGATÓW NA ZJAZDY WOJEWÓDZKIE SOJUSZU LEWICY DEMOKRATYCZNEJ

Instrukcja wypełniania ankiety:
Większość pytań w tej ankiecie ma charakter zamknięty, tzn. autorzy badania zaproponowali Państwu odpowiedzi do wyboru, oczekując, że zakreślą Państwo odpowiedź odpowiadającą faktom lub Państwa przekonaniom. Prosimy zatem o zakreślenie lub zaczernienie tej odpowiedzi, która jest w Państwa przypadku właściwa.
W ankiecie znalazły się również pytania otwarte, na które prosimy odpowiedzieć własnoręcznie i zgodnie z własnym przekonaniem.
Zapraszamy do wypełnienia ankiety.

1. W którym roku zapisał/a się Pan/i do SdRP lub Sojuszu Lewicy Demokratycznej?

SdRP:				
SLD:				

2. Dlaczego zapisał/a się Pan/i do SdRP lub SLD właśnie wtedy? Jaki był powód zapisania się do partii?

....
....
....
....

3. Czy był/a Pan/i członkiem Polskiej Zjednoczonej Partii Robotniczej?

☐ *Tak (1)*   ☐ *Nie (2)*

4. Jeśli tak, w którym roku został/a Pan/i przyjęta do PZPR?

....

5. Czy należał/a Pani/i do innej partii politycznej niż socjalistyczna/ socjaldemokratyczna?
☐ *Tak (1)*   ☐ *Nie (2)*

6. Jeśli tak, to do jakiej (można zaznaczyć więcej odpowiedzi niż jedną)?

☐ *Polskie Stronnictwo Ludowe (1)*   ☐ *Unia Polityki Realnej (7)*
☐ *Samoobrona (2)*   ☐ *Liga Polskich Rodzin (8)*
☐ *Unia Demokratyczna/*
    Unia Wolności (3)   ☐ *Akcja Wyborcza Solidarność (9)*
☐ *Platforma Obywatelska (4)*   ☐ *Konfederacja Polski*
                                              Niepodległej (10)
☐ *Zieloni 2004 (5)*   ☐ *Ruch Odbudowy Polski (11)*
☐ *Prawo i Sprawiedliwość (6)*   ☐ *inne (jakie?)* .... *(12)*

7. Czy Pana/i ojciec był członkiem PZPR?
☐ *Tak (1)*   ☐ *Nie (2)*   ☐ *Nie wiem (3)*

8. Czy Pana/i matka była członkiem PZPR?
☐ *Tak (1)*   ☐ *Nie (2)*   ☐ *Nie wiem (3)*

9. Czy pełni Pan/i obecnie jakąś funkcję publiczną?
☐ *Tak (1)*   ☐ *Nie (2)*

10. Jeśli tak, to jaką? (możliwych więcej niż jedna odpowiedzi)
☐ *Poseł do Sejmu (1)*   ☐ *Radny powiatowy (5)*
☐ *Senator (2)*   ☐ *Radny wojewódzki (6)*
☐ *Poseł do Parlamentu*
    Europejskiego (3)   ☐ *Burmistrz, wójt lub prezydent miasta (7)*
☐ *Radny miejski (4)*   ☐ *Inna (jaka?)* .... *(8)*

11. Czy kandydował/a Pan/i ostatnio w wyborach (z jakiejkolwiek listy lub komitetu wyborczego)?

a) do Parlamentu Europejskiego w 2004 r.   ☐ *Tak (1)*   ☐ *Nie (2)*
b) w wyborach samorządowych w 2006 r.   ☐ *Tak (1)*   ☐ *Nie (2)*
c) w wyborach parlamentarnych w 2007 r.   ☐ *Tak (1)*   ☐ *Nie (2)*

12. Czy w 2007 r. był/a Pan/i w kontakcie z miejskimi władzami swojej partii?
☐ *Bardzo często (1)*   ☐ *Rzadko (3)*   ☐ *Wcale (5)*
☐ *Często (2)*   ☐ *Bardzo rzadko (4)*

13. Czy w 2007 r. brał/a Pan/i udział w zebraniach miejskich struktur swojej partii?

Brałem/ brałam udział:
☐ *We wszystkich zebraniach (1)*
☐ *Często (2)*
☐ *Rzadko (3)*
☐ *Nigdy (4)*

14. Ile czasu poświęca Pan/i średnio na działalność w partii (np. uczestnictwo w zebraniach, konferencje, dystrybucja broszur, rozlepianie plakatów, pomoc przy kampaniach wyborczych...)?
☐ *Nie poświęcam swojego czasu (1)*
☐ *Od godziny do trzech godzin w miesiącu (2)*
☐ *Od trzech do pięciu godzin w miesiącu (3)*
☐ *Od pięciu do dziesięciu godzin w miesiącu (4)*
☐ *Ponad dziesięć godzin w miesiącu (5)*

15. Czy jest Pan/i członkiem związku zawodowego?
☐ *Tak (1)*   ☐ *Nie (2)*
Jeśli «nie», przejdź do pytania nr 17.

16. Jeśli jest Pan/i członkiem związku zawodowego, proszę sprecyzować którego.
☐ *OPZZ (1)*   ☐ *NSZZ Solidarność (2)*   ☐ *Sierpień '80 (3)*
☐ *Inny* (jaki?) ....*(4)*

17. Jeśli jest Pan/i członkiem związku zawodowego, chcielibyśmy poznać intensywność Pana/i pracy na jego rzecz. Proszę sprecyzować, **umieszczając na skali od 0 do 7,** Pana/i związkowe zaangażowanie (0 oznacza „zupełnie nieaktywny/a", 7 „bardzo aktywny/a" w związku zawodowym).

0 (zupełnie nieaktywny/a)	*1*	*2*	*3*	*4*	*5*	*6*	*7* (bardzo aktywny/a)

18. Czy działa Pan/i w organizacji pozarządowej?

☐ *Tak (1)*   ☐ *Nie (2)*

19. Proszę wyobrazić sobie następującą sytuację: Wraca Pan/i do kraju po dłuższej nieobecności, podczas której nie miał/a Pan/i dostępu do żadnych źródeł informacji. Po jaką gazetę codzienną lub tygodnik sięga Pan/i w pierwszej kolejności? (proszę wybrać jeden tytuł)

Gazeta Wyborcza	☐ Tak (1)	☐ Nie (2)
Rzeczpospolita	☐ Tak (1)	☐ Nie (2)
Dziennik	☐ Tak (1)	☐ Nie (2)
Nasz Dziennik	☐ Tak (1)	☐ Nie (2)
Trybuna	☐ Tak (1)	☐ Nie (2)
Fakt	☐ Tak (1)	☐ Nie (2)
Super Express	☐ Tak (1)	☐ Nie (2)
Jeden z lokalnych dzienników (proszę podać tytuł)..................	☐ Tak (1)	☐ Nie (2)
Polityka	☐ Tak (1)	☐ Nie (2)
Wprost	☐ Tak (1)	☐ Nie (2)
Newsweek Polska	☐ Tak (1)	☐ Nie (2)
Przekrój	☐ Tak (1)	☐ Nie (2)
Przegląd	☐ Tak (1)	☐ Nie (2)
Tygodnik Powszechny	☐ Tak (1)	☐ Nie (2)
Nie	☐ Tak (1)	☐ Nie (2)
Gość Niedzielny	☐ Tak (1)	☐ Nie (2)
Angora	☐ Tak (1)	☐ Nie (2)
Inny tytuł (proszę podać)	☐ Tak (1)	☐ Nie (2)

20. Elektorat której partii politycznej jest Pana/i zdaniem najbliższy elektoratowi Sojuszu Lewicy Demokratycznej?
....

21. Które formacje polityczne Pana/i zdaniem mogłyby stać się partnerem koalicyjnym Sojuszu Lewicy Demokratycznej w przypadku wygranych wyborów?
....

22. Chcielibyśmy poznać Pana/i poziom poparcia dla poniższych partii politycznych. Proszę przy każdej z partii zakreślić odpo-

wiednią liczbę od 0 do 7, gdzie 0 – oznacza zupełny brak poparcia, 7 – wysoki poziom poparcia. Nie jest to pytanie o głosowanie w ostatnich ani przyszłych wyborach.

	Nie popieram					*Popieram*			*Trudno powiedzieć*
Unia Pracy	*0*	*1*	*2*	*3*	*4*	*5*	*6*	*7*	*?*
Zieloni 2004	*0*	*1*	*2*	*3*	*4*	*5*	*6*	*7*	*?*
Socjaldemokracja Polska	*0*	*1*	*2*	*3*	*4*	*5*	*6*	*7*	*?*
Partia Demokratyczna	*0*	*1*	*2*	*3*	*4*	*5*	*6*	*7*	*?*
Samoobrona	*0*	*1*	*2*	*3*	*4*	*5*	*6*	*7*	*?*
Polskie Stronnictwo Ludowe	*0*	*1*	*2*	*3*	*4*	*5*	*6*	*7*	*?*
Partia Kobiet	*0*	*1*	*2*	*3*	*4*	*5*	*6*	*7*	*?*
Platforma Obywatelska	*0*	*1*	*2*	*3*	*4*	*5*	*6*	*7*	*?*
Prawo i Sprawiedliwość	*0*	*1*	*2*	*3*	*4*	*5*	*6*	*7*	*?*
Liga Polskich Rodzin	*0*	*1*	*2*	*3*	*4*	*5*	*6*	*7*	*?*
Prawica Rzeczypospolitej	*0*	*1*	*2*	*3*	*4*	*5*	*6*	*7*	*?*
	Nie popieram					*Popieram*			*Trudno powiedzieć*

23. W jakim miejscu poniższej skali sytuują się Pana/i poglądy polityczne (0 – skrajna lewica, 7 – skrajna prawica)?

0 (skrajna lewica)	1	2	3	4	5	6	7 (skrajna prawica)

24. W jakim miejscu poniższej skali usytuuje Pan/i Sojusz Lewicy Demokratycznej (0 – skrajna lewica, 7 – skrajna prawica)?

0 (skrajna lewica)	1	2	3	4	5	6	7 (skrajna prawica)

25. Proszę podać trzy słowa (rzeczowniki lub przymiotniki), które Pana/i zdaniem najlepiej charakteryzują dzisiejszy Sojusz Lewicy Demokratycznej?
1. . . . . 2. . . . . 3. . . . .

26. Jakie osiągnięcia Polski ceni Pan/i najbardziej?

....
....
....
....
....

27. Jakiego współczesnego polityka na arenie międzynarodowej ceni Pan/i najbardziej?

....

28. Poziom swojego zainteresowania polityką określiłby/ aby Pan/i jako:

☐ *Bardzo wysoki (1)*   ☐ *Niski (3)*
☐ *Umiarkowany (2)*   ☐ *W ogóle nie interesuję się*
                                    polityką (4)

29. Proszę wyrazić swoje zdanie wobec następujących kwestii i opinii:

1. Związki zawodowe powinny mieć większy niż dotychczas wpływ na podejmowanie ważnych decyzji ekonomicznych i społecznych.
☐ *Zdecydowanie tak*   ☐ *Raczej tak*   ☐ *Raczej nie*
☐ *Zdecydowanie nie*   ☐ *Trudno powiedzieć*

2. Tworzenie nowych miejsc pracy poprzez elastyczne formy zatrudnienia jest najlepszym sposobem na walkę z bezrobociem (np. kilka umów na czas określony, praca na kontrakcie, praca w niepełnym wymiarze godzin).
☐ *Zdecydowanie tak*   ☐ *Raczej tak*   ☐ *Raczej nie*
☐ *Zdecydowanie nie*   ☐ *Trudno powiedzieć*

3. W Polsce należy wprowadzić podatek liniowy.
☐ *Zdecydowanie tak*   ☐ *Raczej tak*   ☐ *Raczej nie*
☐ *Zdecydowanie nie*   ☐ *Trudno powiedzieć*

4. Należy dążyć do zmniejszenia różnic w zarobkach obywateli.
☐ *Zdecydowanie tak*   ☐ *Raczej tak*   ☐ *Raczej nie*
☐ *Zdecydowanie nie*   ☐ *Trudno powiedzieć*

5. Wysokość zasiłków rodzinnych powinna zależeć od wysokości dochodów rodziców.
☐ *Zdecydowanie tak*   ☐ *Raczej tak*   ☐ *Raczej nie*
☐ *Zdecydowanie nie*   ☐ *Trudno powiedzieć*

6. Im mniej państwo interweniuje w gospodarkę, tym lepiej dla ekonomii.
☐ *Zdecydowanie tak*   ☐ *Raczej tak*   ☐ *Raczej nie*
☐ *Zdecydowanie nie*   ☐ *Trudno powiedzieć*

7. Miękkie narkotyki należy zalegalizować.
☐ *Zdecydowanie tak*   ☐ *Raczej tak*   ☐ *Raczej nie*
☐ *Zdecydowanie nie*   ☐ *Trudno powiedzieć*

8. Eutanazja powinna zostać zalegalizowana.
☐ *Zdecydowanie tak*   ☐ *Raczej tak*   ☐ *Raczej nie*
☐ *Zdecydowanie nie*   ☐ *Trudno powiedzieć*

9. Jeśli chce się mieć dzieci, trzeba wziąć ślub.
☐ *Zdecydowanie tak*   ☐ *Raczej tak*   ☐ *Raczej nie*
☐ *Zdecydowanie nie*   ☐ *Trudno powiedzieć*

10. Wstąpienie Polski do Unii Europejskiej jest dobre dla naszego kraju.
☐ *Zdecydowanie tak*   ☐ *Raczej tak*   ☐ *Raczej nie*
☐ *Zdecydowanie nie*   ☐ *Trudno powiedzieć*

11. Czy w szkołach, w urzędach i instytucjach państwowych (np. w Sejmie) powinny wisieć krzyże?
☐ *Zdecydowanie tak*   ☐ *Raczej tak*   ☐ *Raczej nie*
☐ *Zdecydowanie nie*   ☐ *Trudno powiedzieć*

12. Aborcja ze względów społecznych («*na życzenie*») powinna być zakazana.
☐ *Zdecydowanie tak*   ☐ *Raczej tak*   ☐ *Raczej nie*
☐ *Zdecydowanie nie*   ☐ *Trudno powiedzieć*

13. Obcokrajowcy mieszkający w Polsce od 5 lat powinni mieć prawo uczestnictwa w wyborach lokalnych.
☐ *Zdecydowanie tak*   ☐ *Raczej tak*   ☐ *Raczej nie*
☐ *Zdecydowanie nie*   ☐ *Trudno powiedzieć*

14. Kara śmierci powinna zostać przywrócona.
☐ *Zdecydowanie tak*   ☐ *Raczej tak*   ☐ *Raczej nie*
☐ *Zdecydowanie nie*   ☐ *Trudno powiedzieć*

15. Kościół w Polsce ma zbyt duży wpływ na władzę.
☐ *Zdecydowanie tak*   ☐ *Raczej tak*   ☐ *Raczej nie*
☐ *Zdecydowanie nie*   ☐ *Trudno powiedzieć*

16. Prezerwatywy powinny być dostępne we wszystkich szkołach średnich.
☐ *Zdecydowanie tak*   ☐ *Raczej tak*   ☐ *Raczej nie*
☐ *Zdecydowanie nie*   ☐ *Trudno powiedzieć*

17. Homoseksualizm jest sprzeczny z naturą człowieka.
☐ *Zdecydowanie tak*   ☐ *Raczej tak*   ☐ *Raczej nie*
☐ *Zdecydowanie nie*   ☐ *Trudno powiedzieć*

18. Obcokrajowcom należy umożliwić zakup ziemi w Polsce.
☐ *Zdecydowanie tak*   ☐ *Raczej tak*   ☐ *Raczej nie*
☐ *Zdecydowanie nie*   ☐ *Trudno powiedzieć*

19. Członkostwo w Unii Europejskiej jest dla naszego kraju niebezpieczne.
☐ *Zdecydowanie tak*   ☐ *Raczej tak*   ☐ *Raczej nie*
☐ *Zdecydowanie nie*   ☐ *Trudno powiedzieć*

20. Ocena z religii powinna wliczać się do średniej na świadectwie.
☐ *Zdecydowanie tak*   ☐ *Raczej tak*   ☐ *Raczej nie*
☐ *Zdecydowanie nie*   ☐ *Trudno powiedzieć*

21. Szkoła powinna uczyć dzieci przede wszystkim dyscypliny.
☐ *Zdecydowanie tak*   ☐ *Raczej tak*   ☐ *Raczej nie*
☐ *Zdecydowanie nie*   ☐ *Trudno powiedzieć*

22. Lepiej żyje się za granicą.
☐ *Zdecydowanie tak*   ☐ *Raczej tak*   ☐ *Raczej nie*
☐ *Zdecydowanie nie*   ☐ *Trudno powiedzieć*

23. Naturalne miejsce i zajęcie dla kobiety to dom i opieka nad dziećmi.
☐ *Zdecydowanie tak*   ☐ *Raczej tak*   ☐ *Raczej nie*
☐ *Zdecydowanie nie*   ☐ *Trudno powiedzieć*

24. Po rozwodzie sąd rodzinny powinien opiekę na dzieckiem powierzać matce.
☐ *Zdecydowanie tak*   ☐ *Raczej tak*   ☐ *Raczej nie*
☐ *Zdecydowanie nie*   ☐ *Trudno powiedzieć*

25. Dla dobra dziecka nie ma znaczenia, czy urlop wychowawczy bierze matka czy ojciec dziecka.
☐ *Zdecydowanie tak*   ☐ *Raczej tak*   ☐ *Raczej nie*
☐ *Zdecydowanie nie*   ☐ *Trudno powiedzieć*

26. Wstąpienie Polski do NATO podniosło poziom bezpieczeństwa kraju.
☐ *Zdecydowanie tak*   ☐ *Raczej tak*   ☐ *Raczej nie*
☐ *Zdecydowanie nie*   ☐ *Trudno powiedzieć*

27. Małżeństwa homoseksualne powinny zostać zalegalizowane.
☐ *Zdecydowanie tak*   ☐ *Raczej tak*   ☐ *Raczej nie*
☐ *Zdecydowanie nie*   ☐ *Trudno powiedzieć*

28. Nie miałbym/łabym nic przeciwko temu, żeby moim sąsiadem była osoba innej narodowości.
☐ *Zdecydowanie tak*   ☐ *Raczej tak*   ☐ *Raczej nie*
☐ *Zdecydowanie nie*   ☐ *Trudno powiedzieć*

29. Polska powinna respektować zalecenia Komisji Europejskiej w sprawie Doliny Rospudy.
☐ *Zdecydowanie tak*   ☐ *Raczej tak*   ☐ *Raczej nie*
☐ *Zdecydowanie nie*   ☐ *Trudno powiedzieć*

30. Aby ułatwić kobietom dostęp do polityki należy wprowadzić ustawowy obowiązek umieszczania określonego procenta kobiet na listach wyborczych.
☐ *Zdecydowanie tak*   ☐ *Raczej tak*   ☐ *Raczej nie*
☐ *Zdecydowanie nie*   ☐ *Trudno powiedzieć*

30. Który kraj jest najbardziej przychylny wobec Polski? (jedna możliwa odpowiedź)
☐ *Niemcy (1)*   ☐ *Ukraina (8)*
☐ *Rosja (2)*   ☐ *Litwa (9)*
☐ *Stany Zjednoczone (3)*   ☐ *Wielka Brytania (10)*
☐ *Włochy (4)*   ☐ *Irlandia (11)*
☐ *Francja (5)*   ☐ *Węgry (12)*
☐ *Republika Czeska (6)*   ☐ *Inny, który* ....(13)
☐ *Słowacja (7)*   ☐ *Żaden (14)*

31. Który kraj stanowi największe zagrożenie dla Polski? (jedna możliwa odpowiedź)
☐ *Niemcy (1)*   ☐ *Białoruś (7)*
☐ *Rosja (2)*   ☐ *Turcja (8)*
☐ *Stany Zjednoczone (3)*   ☐ *Irak (9)*
☐ *Chiny (4)*   ☐ *Afganistan (10)*
☐ *Izrael (5)*   ☐ *Inny, który* ....(11)
☐ *Ukraina (6)*   ☐ *Żaden (12)*

32. Proszę wyrazić swoją opinię na temat następujących kwestii:
1. SLD powinien przede wszystkim współpracować z Partią Demokratyczną.
☐ *Zdecydowanie tak*   ☐ *Raczej tak*   ☐ *Raczej nie*
☐ *Zdecydowanie nie*   ☐ *Trudno powiedzieć*

2. Aleksander Kwaśniewski powinien czynnie działać na rzecz Sojuszu Lewicy Demokratycznej.
☐ *Zdecydowanie tak*   ☐ *Raczej tak*   ☐ *Raczej nie*
☐ *Zdecydowanie nie*   ☐ *Trudno powiedzieć*

3. Decyzje w mojej partii są podejmowane w sposób demokratyczny.
☐ *Zdecydowanie tak*   ☐ *Raczej tak*   ☐ *Raczej nie*
☐ *Zdecydowanie nie*   ☐ *Trudno powiedzieć*

4. Partia socjaldemokratyczna powinna współpracować z ugrupowaniami liberalnymi na różnych poziomach władzy (lokalnym, regionalnym, krajowym, ponadnarodowym).
☐ *Zdecydowanie tak*   ☐ *Raczej tak*   ☐ *Raczej nie*
☐ *Zdecydowanie nie*   ☐ *Trudno powiedzieć*

5. Wojciech Olejniczak sprawdza się na stanowisku przewodniczącego partii.
☐ *Zdecydowanie tak*   ☐ *Raczej tak*   ☐ *Raczej nie*
☐ *Zdecydowanie nie*   ☐ *Trudno powiedzieć*

6. Sojusz Lewicy Demokratycznej potrzebuje nowego programu.
☐ *Zdecydowanie tak*   ☐ *Raczej tak*   ☐ *Raczej nie*
☐ *Zdecydowanie nie*   ☐ *Trudno powiedzieć*

7. SLD jest gotowe do rządzenia krajem.
☐ *Zdecydowanie tak*   ☐ *Raczej tak*   ☐ *Raczej nie*
☐ *Zdecydowanie nie*   ☐ *Trudno powiedzieć*

8. Leszek Miller był dobrym premierem.
☐ *Zdecydowanie tak*   ☐ *Raczej tak*   ☐ *Raczej nie*
☐ *Zdecydowanie nie*   ☐ *Trudno powiedzieć*

9. Odpowiada mi obecny styl kierowania Sojuszem Lewicy Demokratycznej.
☐ *Zdecydowanie tak*   ☐ *Raczej tak*   ☐ *Raczej nie*
☐ *Zdecydowanie nie*   ☐ *Trudno powiedzieć*

10. Jestem zadowolony/a ze sposobu komunikowania się kierownictwa
SLD z szeregowymi członkami partii.

☐ *Zdecydowanie tak*   ☐ *Raczej tak*   ☐ *Raczej nie*
☐ *Zdecydowanie nie*   ☐ *Trudno powiedzieć*

**33. Jakie obowiązki, Pana/i zdaniem, ma wobec swoich członków kie-
rownictwo Sojuszu Lewicy Demokratycznej?** Proszę wybrać jedną odpowiedź.

☐ *Konsultować i uzgadniać najważniejsze decyzje polityczne (1)*
☐ *Skutecznie i systematycznie informować o tym, co dzieje się w partii
(2)*
☐ *Ułatwiać dostęp do stanowisk, które pozwalają wykorzystać doświad-
czenie i kompetencje członków partii (3)*
☐ *Wspierać działania członków partii w terenie (4)*
☐ *Umożliwiać rozwój politycznej kariery (5)*
☐ *Inne (jakie?)* .... *(6)*

**34. Ludzie są członkami partii socjalistycznych/socjaldemokratycz-
nych z różnych powodów. Jaki był <u>najważniejszy powód</u> Pana/i wstąpienia do tego typu partii politycznej? (możliwa tylko jedna odpowiedź)**

☐ *W celu zmiany społeczeństwa (1)*
☐ *Z powodu rodzinnych tradycji (2)*
☐ *Aby być lepiej poinformowanym/ną o polityce (3)*
☐ *Aby robić polityczną karierę (4)*
☐ *Aby pomóc w rozwoju mojej gminy (5)*
☐ *Aby poznać wpływowych ludzi (6)*
☐ *Ponieważ znałem/am kogoś, kto był członkiem SLD (7)*
☐ *Ponieważ SLD jest liczącą partią (8)*
☐ *Inny powód (jaki)* .... *(9)*

**35. Jakie Pana/i zdaniem powinny być trzy priorytety Sojuszu Lewicy
Demokratycznej?** Proszę wpisać w kratkę cyfrę 1 (najważniejsza sprawa wg Pana/i hierarchii ważności), 2 (druga kwestia co do ważności
wg Pana/i hierarchii ważności) oraz 3 (trzeci priorytet wg Pana/i hierarchii ważności).

☐ *Zmniejszenie bezrobocia (1)*
☐ *Podniesienie płacy minimalnej (2)*
☐ *Walka z przestępczością (3)*
☐ *Gwarancja praw socjalnych (4)*
☐ *Podwyższenie zasiłków rodzinnych (5)*

☐ *Zapewnienie kobietom i mężczyznom równych praw (6)*
☐ *Złagodzenie ustawy antyaborcyjnej (7)*
☐ *Dbałość o środowisko naturalne (8)*
☐ *Walka z korupcją w państwie (9)*
☐ *Dobry wizerunek Polski na arenie międzynarodowej (10)*
☐ *Inny (jaki)* ....*(11)*

36. Czy Sojusz Lewicy Demokratycznej aktualnie rządzi lub jest koalicjantem w:
a) Pana/i gminie: ☐ *Tak (1)* ☐ *Nie (2)* ☐ *Nie wiem (3)*
b) Pana/i powiecie: ☐ *Tak (1)* ☐ *Nie (2)* ☐ *Nie wiem (3)*
c) Pana/i regionie: ☐ *Tak (1)* ☐ *Nie (2)* ☐ *Nie wiem (3)*

37. Jest Pan/i ☐ *mężczyzną (1)* ☐ *kobietą (2)*

38. W którym roku jest Pan/i urodzony/a? ....

39. Jakie jest Pana/i najwyższe wykształcenie?
☐ *Podstawowe (1)* ☐ *Średnie ogólnokształcące (5)*
☐ *Gimnazjalne(2)* ☐ *Wyższe licencjackie*
 (pierwszego stopnia) (6)
☐ *Zasadnicze zawodowe (3)* ☐ *Wyższe magisterskie*
 (drugiego stopnia) (7)
☐ *Średnie techniczne (4)* ☐ *Wyższe doktoranckie*
 (trzeciego stopnia) (8)

40. Jeśli skończył/a Pan/i studia, proszę sprecyzować dyscyplinę?
....

41. Jeśli skończył/a Pan/i studia, proszę sprecyzować na jakiej uczelni?
....

42. Czy aktualnie Pan/i pracuje?
☐ *Tak (1)* ☐ *Nie (2)*

Jeśli nie, proszę przejść do pytania nr 46.

43. Jeśli aktualnie Pan/i pracuje, jaki jest Pan/i status zawodowy?
☐ *Robotnik (1)* ☐ *Wolny zawód (5)*
☐ *Rolnik (2)* ☐ *Kadra kierownicza (6)*
☐ *Pracownik umysłowy (3)* ☐ *Inny (jaki)* ....*(7)*
☐ *Niezależny przedsiębiorca (4)*

44. Jeśli aktualnie Pan/i pracuje, proszę sprecyzować w jakim sektorze?

....

45. Jeśli aktualnie Pan/i pracuje, czy Pana/i stanowisko zawodowe związane jest z polityką (parlament, władze lokalne, regionalne, etat partyjny)?
☐ *Tak (1)*   ☐ *Nie (2)*

46. Jeśli aktualnie nie pracuje Pan/i zawodowo, jaki jest Pana/i status?
☐ *Pan/i domu (1)*   ☐ *Rencista/ka (4)*
☐ *Bezrobotny/a (2)*   ☐ *Emeryt/ka (5)*
☐ *Uczeń/nnica, Student/ka (3)*   ☐ *Inny (jaki?)* ....(6)

47. Proszę podać miejsce Pana/i zamieszkania.
☐ *wieś (1)*   ☐ *miasto od 50 tys. do 200 tys.*
                                                        mieszkańców (4)
☐ *miasto do 20 tys. mieszkańców (2)*   ☐ *miasto od 200 tys.*
                                                        do 500 tys. mieszkańców (5)
☐ *miasto od 20 tys. do 50 tys.*
   mieszkańców (3)   ☐ *miasto powyżej 500 tys.*
                                                        mieszkańców (6)

48. Czy jest Pan/i wierzący/a?
☐ *Tak (1)*   ☐ *Nie (2) – przy takiej odpowiedzi proszę pominąć pyt. 49.*

49. Jaką wyznaje Pan/i religię? ....

50. Jak często chodzi Pan/i do świątyni, np. kościoła, synagogi, cerkwi, zboru, meczetu?
☐ *Co najmniej raz w tygodniu (1)*
☐ *Ca najmniej raz w miesiącu (2)*
☐ *Kilka razy w roku (3)*
☐ *W ogóle (4)*

Dziękujemy bardzo za wypełnienie ankiety.

KWESTIONARIUSZ WYPEŁNIANY PRZEZ UCZESTNIKÓW RAD REGIONALNYCH PLATFORMY OBYWATELSKIEJ

Instrukcja wypełniania ankiety:
Większość pytań w tej ankiecie ma charakter zamknięty, tzn. autorzy badania zaproponowali Państwu odpowiedzi do wyboru, oczekując, że zakreślą Państwo odpowiedź odpowiadającą faktom lub Państwa przekonaniom. Prosimy zatem o zakreślenie lub zaczernienie tej odpowiedzi, która jest w Państwa przypadku właściwa. W ankiecie znalazły się również pytania otwarte, na które prosimy odpowiedzieć własnoręcznie i zgodnie z własnym przekonaniem.
Ankieta ma charakter anonimowy.

Zapraszamy do wypełnienia ankiety.

1. W którym roku zapisał/a się Pan/i do Platformy Obywatelskiej?
....
....

2. Dlaczego zapisał/a się Pan/i do Platformy Obywatelskiej właśnie wtedy? Jaki był powód zapisania się do partii?
....
....
....
....

3. Czy był/a Pan/i wcześniej członkiem innej partii politycznej?
☐ *Tak (1)*   ☐ *Nie (2)*

4. Jeśli tak, to do jakiej (można zaznaczyć więcej odpowiedzi niż jedną)?

☐ *Kongres Liberalno--Demokratyczny (1)*

☐ *Unia Polityki Realnej (2)*

☐ *Unia Demokratyczna/Unia Wolności (3)*

☐ SdRP/*Sojusz Lewicy Demokratycznej (4)*

☐ *Polskie Stronnictwo Ludowe (5)*

☐ *Prawo i Sprawiedliwość (6)*

☐ *Samoobrona (7)*

☐ *Liga Polskich Rodzin (8)*

☐ *Akcja Wyborcza Solidarność (9)*

☐ *Konfederacja Polski Niepodległej (10)*

☐ *Ruch Odbudowy Polski (11)*

☐ *Stronnictwo Konserwatywno--Ludowe (12)*

☐ *inne (jakie?)* ....(13)

5. Czy był/a Pan/i członkiem Polskiej Zjednoczonej Partii Robotniczej?
☐ *Tak (1)*   ☐ *Nie (2)*

6. Czy był/a Pan/i członkiem NSZZ „Solidarność" przed 1989 r.?
☐ *Tak (1)*   ☐ *Nie (2)*

7. Czy Pana/i rodzice byli członkami PZPR?

Ojciec:
☐ *Tak (1)*   ☐ *Nie (2)*   ☐ *Nie wiem (3)*

Matka:
☐ *Tak (1)*   ☐ *Nie (2)*   ☐ *Nie wiem (3)*

8. Czy Pana/i rodzice byli członkami NSZZ „Solidarność" przed 1989 r.?

Ojciec:
☐ *Tak (1)*   ☐ *Nie (2)*   ☐ *Nie wiem (3)*

Matka:
☐ *Tak (1)*   ☐ *Nie (2)*   ☐ *Nie wiem (3)*

9. Czy pełni Pan/i obecnie jakąś funkcję publiczną?
☐ *Tak (1)*   ☐ *Nie (2)*

10. Jeśli tak, to jaką?

☐ *Poseł do Sejmu (1)*   ☐ *Radny powiatowy (5)*
☐ *Senator (2)*   ☐ *Radny wojewódzki (6)*
☐ *Poseł do Parlamentu*   ☐ *Burmistrz, wójt lub prezydent*
  Europejskiego (3)   *miasta (7)*
☐ *Radny miejski (4)*   ☐ *Inna (jaka?) .... (8)*

11. Czy kandydował/a Pan/i ostatnio w wyborach?
a) do Parlamentu Europejskiego w 2004 r.   ☐ *Tak (1)*   ☐ *Nie (2)*
b) w wyborach samorządowych w 2006 r.   ☐ *Tak (1)*   ☐ *Nie (2)*
c) w wyborach parlamentarnych w 2007 r.   ☐ *Tak (1)*   ☐ *Nie (2)*

12. Czy w 2008 r. był/a Pan/i w kontakcie z lokalnymi strukturami swojej partii?

☐ *Bardzo często (1)* ☐ *Rzadko (3)* ☐ *Wcale (5)*
☐ *Często (2)* ☐ *Bardzo rzadko (4)*

13. Czy w 2008 r. brał/a Pan/i udział w zebraniach lokalnych struktur swojej partii?

Brałem/ brałam udział:

☐ *We wszystkich zebraniach (1)*
☐ *Często (2)*
☐ *Rzadko (3)*
☐ *Nigdy (4)*

14. Ile czasu poświęca Pan/i średnio na działalność na rzecz swojej partii (np. uczestnictwo w zebraniach, konferencjach...)?
☐ *Nie poświęcam swojego czasu (1)*
☐ *Od godziny do trzech godzin w miesiącu (2)*
☐ *Od trzech do pięciu godzin w miesiącu (3)*
☐ *Od pięciu do dziesięciu godzin w miesiącu (4)*
☐ *Ponad dziesięć godzin w miesiącu (5)*

15. Czy jest Pan/i członkiem związku zawodowego?
☐ *Tak (1)*   ☐ *Nie (2)*

Jeśli nie, proszę przejść do pytania 18.

16. Jeśli jest Pan/i członkiem związku zawodowego, proszę podać jego nazwę

....

17. Jeśli jest Pan/i członkiem związku zawodowego, chcielibyśmy poznać intensywność Pana/i pracy na jego rzecz. Proszę sprecyzować, **umieszczając na skali od 0 do 7**, Pana/i związkowe zaangażowanie (0 oznacza „zupełnie nieaktywny/a", 7 „bardzo aktywny/a" w związku zawodowym).

0 (zupełnie nieaktywny/a)	*1*	*2*	*3*	*4*	*5*	*6*	*7* (bardzo aktywny/a)

18. Czy jest Pan/i członkiem organizacji pracodawców?
☐ *Tak (1)*   ☐ *Nie (2)*

19. Czy działa Pan/i w organizacji pozarządowej?
☐ *Tak (1)*   ☐ *Nie (2)*

20. Jeśli działa Pan/i w organizacji pozarządowej, proszę podać jej nazwę.

. . . .

21. Elektorat której polskiej partii politycznej jest Pana/i zdaniem w największej swojej części bliski elektoratowi Platformy Obywatelskiej?

. . . .

22. Które formacje polityczne Pana/i zdaniem mogłyby być partnerem koalicyjnym Platformy Obywatelskiej w formowaniu rządu? Możliwa więcej niż jedna odpowiedź.

. . . .
. . . .
. . . .

23. W jakim miejscu poniższej skali sytuują się Pana/i poglądy polityczne (0 – skrajna lewica, 7 – skrajna prawica)?

0 (skrajna lewica)	*1*	*2*	*3*	*4*	*5*	*6*	*7* (skrajna prawica)

24. W jakim miejscu poniższej skali usytuuje Pan/i Platformę Obywatelską? (0 – skrajna lewica, 7 – skrajna prawica)?

0 (skrajna lewica)	*1*	*2*	*3*	*4*	*5*	*6*	*7* (skrajna prawica)

25. Chcielibyśmy poznać Pana/i poziom poparcia dla poniższych partii politycznych. Proszę przy <u>każdej</u> z partii zakreślić odpowiednią liczbę od 0 do 7, gdzie 0 – oznacza zupełny brak poparcia, 7 – wysoki poziom poparcia. Nie jest to pytanie o głosowanie w ostatnich ani przyszłych wyborach.

	Nie popieram							Popieram	Trudno powiedzieć
Unia Pracy	0	1	2	3	4	5	6	7	?
Zieloni 2004	0	1	2	3	4	5	6	7	?
Socjaldemokracja Polska	0	1	2	3	4	5	6	7	?
Sojusz Lewicy Demokratycznej	0	1	2	3	4	5	6	7	?
Partia Demokratyczna	0	1	2	3	4	5	6	7	?
Samoobrona	0	1	2	3	4	5	6	7	?
Polskie Stronnictwo Ludowe	0	1	2	3	4	5	6	7	?
Polska XXI	0	1	2	3	4	5	6	7	?
Prawo i Sprawiedliwość	0	1	2	3	4	5	6	7	?
Liga Polskich Rodzin	0	1	2	3	4	5	6	7	?
Naprzód Polsko	0	1	2	3	4	5	6	7	?
Prawica Rzeczypospolitej	0	1	2	3	4	5	6	7	?
	Nie popieram							Popieram	Trudno powiedzieć

26. Proszę podać trzy słowa (rzeczowniki lub przymiotniki), które Pana/i zdaniem najlepiej charakteryzują dzisiejszą Platformę Obywatelską?
1............... 2................. 3...................

27. Jakie osiągnięcia Polski ceni Pan/i najbardziej?
....
....
....

28. Jakiego współczesnego polityka na arenie międzynarodowej ceni Pan/i najbardziej?
....

29. Poziom swojego zainteresowania polityką określiłby/ aby Pan/i jako:
☐ Bardzo wysoki (1)   ☐ Niski (4)
☐ Wysoki (2)   ☐ Bardzo niski (5)
☐ Umiarkowany (3)   ☐ W ogóle nie interesuję się polityką (6)

30. Proszę wyrazić swoje zdanie wobec następujących kwestii i opinii:

1. Tworzenie nowych miejsc pracy poprzez elastyczne formy zatrudnienia (np. kilka umów na czas określony, praca na kontrakcie, praca w niepełnym wymiarze godzin) jest najlepszym sposobem na walkę z bezrobociem.
☐ *Zdecydowanie tak* ☐ *Raczej tak* ☐ *Raczej nie*
☐ *Zdecydowanie nie* ☐ *Trudno powiedzieć*

2. W Polsce należy wprowadzić podatek liniowy.
☐ *Zdecydowanie tak* ☐ *Raczej tak* ☐ *Raczej nie*
☐ *Zdecydowanie nie* ☐ *Trudno powiedzieć*

3. Państwo powinno dążyć do zmniejszenia różnic w zarobkach obywateli.
☐ *Zdecydowanie tak* ☐ *Raczej tak* ☐ *Raczej nie*
☐ *Zdecydowanie nie* ☐ *Trudno powiedzieć*

4. Gospodarka powinna opierać się na mechanizmach wolnorynkowych, swobodach gospodarczych oraz ograniczonej roli państwa.
☐ *Zdecydowanie tak* ☐ *Raczej tak* ☐ *Raczej nie*
☐ *Zdecydowanie nie* ☐ *Trudno powiedzieć*

5. Związki zawodowe powinny mieć większy niż dotychczas wpływ na podejmowanie ważnych dla przedsiębiorstwa decyzji ekonomicznych i społecznych.
☐ *Zdecydowanie tak* ☐ *Raczej tak* ☐ *Raczej nie*
☐ *Zdecydowanie nie* ☐ *Trudno powiedzieć*

6. Akceptuję poglądy ludzi innych wyznań, przekonań i orientacji seksualnej.
☐ *Zdecydowanie tak* ☐ *Raczej tak* ☐ *Raczej nie*
☐ *Zdecydowanie nie* ☐ *Trudno powiedzieć*

7. Każdy powinien mieć swobodę wyrażania swoich poglądów, nawet jeśli sprzeczne są one z wartościami akceptowanymi przez większość społeczeństwa.
☐ *Zdecydowanie tak* ☐ *Raczej tak* ☐ *Raczej nie*
☐ *Zdecydowanie nie* ☐ *Trudno powiedzieć*

8. Postęp oraz otwarcie na zmiany są zagrożeniem dla ładu społecznego.
☐ *Zdecydowanie tak* ☐ *Raczej tak* ☐ *Raczej nie*
☐ *Zdecydowanie nie* ☐ *Trudno powiedzieć*

9. Wysokość zasiłków rodzinnych powinna zależeć od wysokości dochodów rodziców.
☐ *Zdecydowanie tak*   ☐ *Raczej tak*   ☐ *Raczej nie*
☐ *Zdecydowanie nie*   ☐ *Trudno powiedzieć*

10. Miękkie narkotyki należy zalegalizować.
☐ *Zdecydowanie tak*   ☐ *Raczej tak*   ☐ *Raczej nie*
☐ *Zdecydowanie nie*   ☐ *Trudno powiedzieć*

11. Eutanazja powinna zostać zalegalizowana.
☐ *Zdecydowanie tak*   ☐ *Raczej tak*   ☐ *Raczej nie*
☐ *Zdecydowanie nie*   ☐ *Trudno powiedzieć*

12. Jeśli chce się mieć dzieci, trzeba wziąć ślub.
☐ *Zdecydowanie tak*   ☐ *Raczej tak*   ☐ *Raczej nie*
☐ *Zdecydowanie nie*   ☐ *Trudno powiedzieć*

13. Zabiegi sztucznego zapłodnienia (*in vitro*) powinny być finansowane z budżetu państwa.
☐ *Zdecydowanie tak*   ☐ *Raczej tak*   ☐ *Raczej nie*
☐ *Zdecydowanie nie*   ☐ *Trudno powiedzieć*

14. Członkostwo Polski w Unii Europejskiej jest dobre dla naszego kraju.
☐ *Zdecydowanie tak*   ☐ *Raczej tak*   ☐ *Raczej nie*
☐ *Zdecydowanie nie*   ☐ *Trudno powiedzieć*

15. Członkostwo w Unii Europejskiej jest dla naszego kraju niebezpieczne.
☐ *Zdecydowanie tak*   ☐ *Raczej tak*   ☐ *Raczej nie*
☐ *Zdecydowanie nie*   ☐ *Trudno powiedzieć*

16. Obcokrajowcom należy umożliwić zakup ziemi w Polsce.
☐ *Zdecydowanie tak*   ☐ *Raczej tak*   ☐ *Raczej nie*
☐ *Zdecydowanie nie*   ☐ *Trudno powiedzieć*

17. W interesie Polski leży zacieśnianie i pogłębianie integracji w ramach Unii Europejskiej.
☐ *Zdecydowanie tak*   ☐ *Raczej tak*   ☐ *Raczej nie*
☐ *Zdecydowanie nie*   ☐ *Trudno powiedzieć*

18. Czy w szkołach, w urzędach i instytucjach państwowych powinny wisieć krzyże?

☐ *Zdecydowanie tak*　　☐ *Raczej tak*　　☐ *Raczej nie*
☐ *Zdecydowanie nie*　　☐ *Trudno powiedzieć*

19. Aborcja ze względów społecznych („*na życzenie*") powinna być zakazana.

☐ *Zdecydowanie tak*　　☐ *Raczej tak*　　☐ *Raczej nie*
☐ *Zdecydowanie nie*　　☐ *Trudno powiedzieć*

20. Obcokrajowcy mieszkający w Polsce od 5 lat powinni mieć prawo uczestnictwa w wyborach lokalnych.

☐ *Zdecydowanie tak*　　☐ *Raczej tak*　　☐ *Raczej nie*
☐ *Zdecydowanie nie*　　☐ *Trudno powiedzieć*

21. Kara śmierci powinna zostać przywrócona.

☐ *Zdecydowanie tak*　　☐ *Raczej tak*　　☐ *Raczej nie*
☐ *Zdecydowanie nie*　　☐ *Trudno powiedzieć*

22. Kościół w Polsce ma zbyt duży wpływ na władzę.

☐ *Zdecydowanie tak*　　☐ *Raczej tak*　　☐ *Raczej nie*
☐ *Zdecydowanie nie*　　☐ *Trudno powiedzieć*

23. Prezerwatywy powinny być dostępne w szkołach średnich.

☐ *Zdecydowanie tak*　　☐ *Raczej tak*　　☐ *Raczej nie*
☐ *Zdecydowanie nie*　　☐ *Trudno powiedzieć*

24. Homoseksualizm jest sprzeczny z naturą człowieka.

☐ *Zdecydowanie tak*　　☐ *Raczej tak*　　☐ *Raczej nie*
☐ *Zdecydowanie nie*　　☐ *Trudno powiedzieć*

25. Ocena z religii powinna wliczać się do średniej na świadectwie.

☐ *Zdecydowanie tak*　　☐ *Raczej tak*　　☐ *Raczej nie*
☐ *Zdecydowanie nie*　　☐ *Trudno powiedzieć*

26. Szkoła powinna uczyć dzieci przede wszystkim dyscypliny.

☐ *Zdecydowanie tak*　　☐ *Raczej tak*　　☐ *Raczej nie*
☐ *Zdecydowanie nie*　　☐ *Trudno powiedzieć*

27. Lepiej żyje się za granicą.

☐ *Zdecydowanie tak*　　☐ *Raczej tak*　　☐ *Raczej nie*
☐ *Zdecydowanie nie*　　☐ *Trudno powiedzieć*

28. Naturalne miejsce i zajęcie dla kobiety to dom i opieka nad dziećmi.
☐ *Zdecydowanie tak* ☐ *Raczej tak* ☐ *Raczej nie*
☐ *Zdecydowanie nie* ☐ *Trudno powiedzieć*

29. Po rozwodzie sąd rodzinny powinien opiekę na dzieckiem powierzać matce.
☐ *Zdecydowanie tak* ☐ *Raczej tak* ☐ *Raczej nie*
☐ *Zdecydowanie nie* ☐ *Trudno powiedzieć*

30. Dla dobra dziecka nie ma znaczenia, czy urlop wychowawczy bierze matka czy ojciec dziecka.
☐ *Zdecydowanie tak* ☐ *Raczej tak* ☐ *Raczej nie*
☐ *Zdecydowanie nie* ☐ *Trudno powiedzieć*

31. Wstąpienie Polski do NATO podniosło poziom bezpieczeństwa kraju.
☐ *Zdecydowanie tak* ☐ *Raczej tak* ☐ *Raczej nie*
☐ *Zdecydowanie nie* ☐ *Trudno powiedzieć*

32. Małżeństwa homoseksualne powinny zostać zalegalizowane.
☐ *Zdecydowanie tak* ☐ *Raczej tak* ☐ *Raczej nie*
☐ *Zdecydowanie nie* ☐ *Trudno powiedzieć*

33. Nie miałbym/łabym nic przeciwko temu, żeby moim sąsiadem była osoba innej narodowości.
☐ *Zdecydowanie tak* ☐ *Raczej tak* ☐ *Raczej nie*
☐ *Zdecydowanie nie* ☐ *Trudno powiedzieć*

34. Aby ułatwić kobietom dostęp do polityki, należy wprowadzić ustawowy obowiązek umieszczania określonego procenta kobiet na listach wyborczych.
☐ *Zdecydowanie tak* ☐ *Raczej tak* ☐ *Raczej nie*
☐ *Zdecydowanie nie* ☐ *Trudno powiedzieć*

31. Który kraj jest najbardziej przychylny wobec Polski? (jedna możliwa odpowiedź)
☐ *Niemcy (1)* ☐ *Ukraina (8)*
☐ *Rosja (2)* ☐ *Litwa (9)*
☐ *Stany Zjednoczone (3)* ☐ *Wielka Brytania (10)*
☐ *Włochy (4)* ☐ *Irlandia (11)*
☐ *Francja (5)* ☐ *Węgry (12)*
☐ *Republika Czeska (6)* ☐ *Inny, który (13)*
☐ *Słowacja (7)* ☐ *Żaden (14)*

32. Który kraj stanowi największe zagrożenie dla Polski? (jedna możliwa odpowiedź)

☐ *Niemcy (1)*   ☐ *Białoruś (7)*
☐ *Rosja (2)*   ☐ *Turcja (8)*
☐ *Stany Zjednoczone (3)* ☐ *Irak (9)*
☐ *Chiny (4)*   ☐ *Afganistan (10)*
☐ *Izrael (5)*   ☐ *Inny, który   (11)*
☐ *Ukraina (6)*   ☐ *Żaden (12)*

33. Proszę wyrazić swoją opinię na temat następujących kwestii:

1. Platforma Obywatelska powinna przede wszystkim współpracować z Polskim Stronnictwem Ludowym.
☐ *Zdecydowanie tak*   ☐ *Raczej tak*   ☐ *Raczej nie*
☐ *Zdecydowanie nie*   ☐ *Trudno powiedzieć*

2. Decyzje w mojej partii są podejmowane w sposób demokratyczny.
☐ *Zdecydowanie tak*   ☐ *Raczej tak*   ☐ *Raczej nie*
☐ *Zdecydowanie nie*   ☐ *Trudno powiedzieć*

3. Donald Tusk sprawdza się na stanowisku przewodniczącego partii.
☐ *Zdecydowanie tak*   ☐ *Raczej tak*   ☐ *Raczej nie*
☐ *Zdecydowanie nie*   ☐ *Trudno powiedzieć*

4. Platforma Obywatelska potrzebuje nowego programu.
☐ *Zdecydowanie tak*   ☐ *Raczej tak*   ☐ *Raczej nie*
☐ *Zdecydowanie nie*   ☐ *Trudno powiedzieć*

5. Odpowiada mi obecny styl kierowania Platformą Obywatelską.
☐ *Zdecydowanie tak*   ☐ *Raczej tak*   ☐ *Raczej nie*
☐ *Zdecydowanie nie*   ☐ *Trudno powiedzieć*

6. Jestem zadowolony/a ze sposobu komunikowania się ścisłego kierownictwa PO z pozostałymi członkami partii.
☐ *Zdecydowanie tak*   ☐ *Raczej tak*   ☐ *Raczej nie*
☐ *Zdecydowanie nie*   ☐ *Trudno powiedzieć*

7. Kierownictwo partii, podejmując decyzje polityczne, bierze pod uwagę zdanie członków partii.
☐ *Zdecydowanie tak*   ☐ *Raczej tak*   ☐ *Raczej nie*
☐ *Zdecydowanie nie*   ☐ *Trudno powiedzieć*

8. Czuję, że mam wpływ na decyzje podejmowane w partii.
☐ *Zdecydowanie tak*   ☐ *Raczej tak*   ☐ *Raczej nie*
☐ *Zdecydowanie nie*   ☐ *Trudno powiedzieć*

34. Jakie obowiązki, Pana/i zdaniem, ma wobec swoich członków kierownictwo Platformy Obywatelskiej?
☐ *Konsultować i uzgadniać najważniejsze decyzje polityczne (1)*
☐ *Skutecznie i systematycznie informować o tym, co dzieje się w partii (2)*
☐ *Ułatwiać dostęp do stanowisk, które pozwalają wykorzystać doświadczenie i kompetencje członków partii (3)*
☐ *Wspierać działania członków partii w terenie (4)*
☐ *Umożliwiać rozwój politycznej kariery (5)*
☐ *Inne (jakie?)* .... *(6)*

35. Ludzie są członkami partii politycznych z różnych powodów. Jaki był najważniejszy powód Pana/i wstąpienia do Platformy Obywatelskiej? (możliwa tylko jedna odpowiedź)
☐ *W celu zmiany społeczeństwa (1)*
☐ *W celu naprawy państwa (2)*
☐ *Z powodu rodzinnych tradycji (3)*
☐ *Aby być lepiej poinformowanym/ną o polityce (4)*
☐ *Aby robić polityczną karierę (5)*
☐ *Aby pomóc w rozwoju mojej gminy/miasta/regionu (6)*
☐ *Aby poznać wpływowych ludzi (7)*
☐ *Ponieważ znałem/am kogoś, kto był członkiem PO (8)*
☐ *Ponieważ PO jest liczącą partią (9)*
☐ *Inny powód (jaki)* .... *(10)*

36. Jakie Pana/i zdaniem powinny być trzy priorytety Platformy Obywatelskiej? Proszę wpisać w kratkę cyfrę 1 (najważniejsza sprawa wg Pana/i hierarchii ważności), 2 (druga kwestia co do ważności wg Pana/i hierarchii ważności) oraz 3 (trzeci priorytet wg Pana/i hierarchii ważności).
☐ *Zmniejszenie bezrobocia (1)*
☐ *Rozwój gospodarczy kraju (2)*
☐ *Podniesienie płacy minimalnej (3)*
☐ *Walka z przestępczością (4)*
☐ *Decentralizacja państwa (5)*
☐ *Podwyższenie zasiłków rodzinnych (6)*
☐ *Obniżenie podatków (7)*
☐ *Zapewnienie kobietom i mężczyznom równych praw (8)*
☐ *Złagodzenie ustawy antyaborcyjnej (9)*

☐ *Walka z korupcją w państwie (10)*
☐ *Dobry wizerunek Polski na arenie międzynarodowej (11)*
☐ *Inny (jaki)* .... *(12)*

37. Czy Platforma Obywatelska aktualnie rządzi lub jest koalicjantem w:
a) Pana/i gminie: ☐ *Tak (1)*   ☐ *Nie (2)*   ☐ *Nie wiem (3)*
b) Pana/i powiecie: ☐ *Tak (1)*   ☐ *Nie (2)*   ☐ *Nie wiem (3)*
c) Pana/i województwie: ☐ *Tak (1)*   ☐ *Nie (2)*   ☐ *Nie wiem (3)*

38. Jest Pan/i   ☐ *mężczyzną (1)*   ☐ *kobietą (2)*

39. W którym roku się Pan/i urodził/a? ....

40. Jakie jest Pana/i wykształcenie?
☐ *Podstawowe (1)*   ☐ *Średnie ogólnokształcące (5)*
☐ *Gimnazjalne(2)*   ☐ *Wyższe licencjackie*
                              (pierwszego stopnia) (6)
☐ *Zasadnicze zawodowe (3)*   ☐ *Wyższe magisterskie*
                              (drugiego stopnia) (7)
☐ *Średnie techniczne (4)*   ☐ *Wyższe doktoranckie*
                              (trzeciego stopnia) (8)

41. Czy aktualnie Pan/i pracuje?
☐ *Tak (1)*   ☐ *Nie (2)*

Jeśli nie, proszę przejść do pytania nr 44.

42. Jeśli aktualnie Pan/i pracuje, jaki jest Pan/i status zawodowy?
☐ *Robotnik (1)*   ☐ *Wolny zawód (5)*
☐ *Rolnik (2)*   ☐ *Kadra kierownicza (6)*
☐ *Pracownik umysłowy (3)*   ☐ *Inny (jaki)* .... *(7)*
☐ *Niezależny przedsiębiorca (4)*

43. Czy Pana/i stanowisko zawodowe związane jest z polityką (parlament, władze lokalne, regionalne, etat partyjny)?
☐ *Tak (1)*   ☐ *Nie (2)*

44. Jeśli aktualnie nie pracuje Pan/i zawodowo, jaki jest Pana/i status?
☐ *Pan/i domu (1)*   ☐ *Rencista/ka (4)*
☐ *Bezrobotny/a (2)*   ☐ *Emeryt/ka (5)*
☐ *Uczeń/nnica, Student/ka (3)*   ☐ *Inny (jaki?)* .... *(6)*

45. Czy jest Pan/i wierzący/a?
□ *Tak (1)*   □ *Nie (2) – przy takiej odpowiedzi proszę pominąć pyt. 47.*

46. Jaką wyznaje Pan/i religię? ....

47. Jak często bierze Pan udział w praktykach religijnych?
□ *Co najmniej raz w tygodniu (1)*
□ *Ca najmniej raz w miesiącu (2)*
□ *Kilka razy w roku (3)*
□ *W ogóle (4)*

48. Proszę podać miejsce Pana/i zamieszkania.

□ *wieś (1)*

□ *miasto do 20 tys. mieszkańców (2)*

□ *miasto od 20 tys. do 50 tys. mieszkańców (3)*

□ *miasto od 50 tys. do 200 tys. mieszkańców (4)*

□ *miasto od 200 tys. do 500 tys. mieszkańców (5)*

□ *miasto powyżej 500 tys. mieszkańców (6)*

49. Proszę zaznaczyć województwo, w którym Pan/i mieszka.

□ *dolnośląskie (1)*

□ *kujawsko-pomorskie (2)*

□ *lubelskie (3)*

□ *lubuskie (4)*

□ *łódzkie (5)*

□ *małopolskie (6)·*

□ *mazowieckie (7)*

□ *opolskie (8)*

□ *podkarpackie (9)*

□ *podlaskie (10)*

□ *pomorskie (11)*

□ *śląskie (12)*

□ *świętokrzyskie (13)*

□ *warmińsko-mazurskie (14)*

□ *wielkopolskie (15)*

□ *zachodniopomorskie (16)*

Dziękujemy bardzo za wypełnienie ankiety.

BIBLIOGRAFIA

Agh A., *Partial consolidation of the East-Central European parties: The case of the Hungarian Socialist Party*, „Party Politics", vol. 1, nr 4, 1995.

Akceptacja praw dla gejów i lesbijek i społeczny dystans wobec nich, CBOS, komunikat z badań, lipiec 2005.

Aktualne problemy i wydarzenia, CBOS, komunikat z badań, luty 2009, BS/34/2009.

Antoszewski A., Fiala P., Herbut R., Sroka J. (red.), *Partie i systemy partyjne Europy Środkowej*, Wydawnictwo Uniwersytetu Wrocławskiego, Wrocław 2003.

Antoszewski A., *Wzorce rywalizacji politycznej we współczesnych demokracjach europejskich*, Wydawnictwo Uniwersytetu Wrocławskiego, Wrocław 2004.

Antoszewski A., *Partie polityczne Europy Środkowo-Wschodniej*, Wydawnictwo Forum Naukowe, Poznań–Wrocław 2005.

Antoszewski A., Herbut R. (red.), *Leksykon politologii*, Atla 2, Wrocław 1999.

Bakke E., Sitter N., *Patterns of stability. Party competition and strategy in Central Europe since 1989*, „Party Politics", vol. 11, 2005.

Banducci S., *Party mobilization and political participation in new and old democracies*, „Party Politics", vol. 13, 2007.

Bartolini S., Mair P., *Identity, Competition and Electoral Availability. The Stabilization of European Electorates 1885–1985*, Cambridge University Press, Cambridge 1990.

Bell D., *The End of Ideology? On the Exhaustion of Political Ideas in The 1950s*, Free Press, New York 1960.

Blondel J., *Political Leadership, Towards General Analysis*, Sage, London 1987.

Bobbio N., *Prawica i lewica*, przeł. A. Szymanowski, Znak, Kraków 1996.

Bohle D., Greskovits B., *Neoliberalism, embedded neoliberalism and neocorporatism: Towards transitional capitalism in Central-Eastern Europe*, „West European Politics", vol. 30, nr 3, 2007.

Boski P., *O dwóch wymiarach Lewicy i Prawicy na scenie politycznej i wartościach politycznych polskich wyborców*, w: J. Reykowski (red.), *Wartości i postawy Polaków a zmiany systemowe*. Szkice z psychologii politycznej, Wydawnictwo Instytutu Psychologii Polskiej Akademii Nauk, Warszawa 1993.

Bowler S., Farrell D.M., Katz R.S. (red.), *Party Discipline and Parliamentary Government*, Ohio State University Press, Columbus OH 1999.

Bozoki A., Ishiyama J. (red.), *The Communist Successor Parties of Central and Eastern Europe*, ME Sharpe, New York, London 2002.

Brechon P., Derville J., Lecompte P., *Les cadres du RPR*, Economica, Paris 1987.

Cayrol R., *L'univers politique des militants socialistes: Une enquête sur les orientations, courants et tendances du Parti socialiste*, „Revue française de science politique", nr 1, 1975.

Cayrol R., Ysmal C., *Les militants du PS. Originalité et diversités*, „Projet", nr 165, 1982.

Chirac J., Barré J.L., *Mémoires/Jacques Chirac*, Nil, Paris 2009.

Chodubski A., *Wektory rozwoju współczesnej politologii w Polsce*, w: *Demokratyczna Polska w globalizującym się świecie*, I Ogólnopolski Kongres Politologii, Warszawa, 22–24 września 2009, Wydawnictwa Akademickie i Profesjonalne, Warszawa 2009.

Claeyes P.H., Loeb-Mayer N., *Militants et électeurs*, w: R. Bouillin-Dertevelde i in., *Les élections législatives du 8 novembre 1981. La nouvelle rupture*, Institut de sociologie, Bruxelles 1984.

Dalton R.J., Wattenberg M.P. (red.), *Parties without Partisans: Political Change in Advanced Industrial Democracies*, Oxford University Press, Oxford 2000.

Delwit P., Hellings B., Van Haute E., *Les cadres intermédiaires du Parti Socialiste et d'Ecolo*, „Courier Hebdomadaire", nr 1801–1802, Crisp, Bruxelles 2003.

Delwit P., Hellings B., Van Haute E., *Les cadres intermédiaires du PSC et du Mouvement Réformateur*, „Courier Hebdomadaire", nr 1804–1805, Crisp, Bruxelles 2003.

De Waele J.M., Gueorguieva P., *La difficile émergence des partis libéraux en Europe Centrale et Orientale*, w: Delwit P., *Libéralismes et libéraux en Europe Centrale et Orientale*, ULB, Bruxelles 2002.

De Waele J.M. (red.), *Les clivages politiques en Europe centrale et orientale*, Editions de l'Université de Bruxelles, Bruxelles 2004.

De Waele J.M., Magnette P. (red.), *Les démocaties européennes. Approche comparée des systèmes politiques nationaux*, Armand Colin, Paris 2008.

Duverger M., *Les partis politiques*, Armand Colin, Paris 1951.

Duverger M., *Political Parties: Their Organization and Activity in the Modern State*, Wiley, New York 1954.

Elektoraty głównych partii politycznych: charakterystyka poglądów, CBOS, komunikat z badań, październik 2009, BS/138/2009.

Enyedi Z., *Party politics in post-communist transition*, w: R. Katz, W. Crotty (red.), *Handbook of Party Politics*, Sage Publications, London 2006.

Eurobarometr 66. Raport Krajowy: Polska, Komisja Europejska, Bruksela 1996.

Évolution de la syndicalisation de 1993 à 2003, Rapport European Industrial Relations Observatory; http://eurofound.europa.eu/eiro/2004/03/update/tn0403115u.html.

Fisher R.A., *Statistical Methods for Research Workers*, Oliver and Boyd, Edinburgh 1925.

Gebethner S., *Osiemnaście miesięcy rozczłonkowanego parlamentu*, w: S. Gebethner (red.), *Polska scena polityczna a wybory*, Wydawnictwo Fundacji Inicjatyw Społecznych, Warszawa 1993.

Godlewski T., *Lewica i prawica w świadomości społeczeństwa polskiego*, Dom Wydawniczy Elipsa, Warszawa 2008.

Goldman M., *Revolution and Change in Central and Eastern Europe: Political, Economic, and Social Challenges*, M.E. Sharpe, Armonk, New York 1997.

Grabowska M., Szawiel T., *Budowanie demokracji. Podziały społeczne, partie polityczne i społeczeństwo obywatelskie w postkomunistycznej Polsce*, Wydawnictwo Naukowe PWN, Warszawa 2001.

Grzymala-Busse A., *Redeeming the Communist Past: The Regeneration of Communist Parties in East-Central Europe*, Cambridge University Press, Cambridge 2002.

Gueorguieva P., Soare S., *Peut-on parler d'une cartellistation des partis politiques en Europe central et orientale? Les cas bulgare et roumain*, w: A. Roger (red.), *Des partis pour quoi faire? La représentation politique en Europe centrale et orientale*, Bruylant, Bruxelles 2003.

Hazan R.Y. (red.), *Cohesion and discipline in legislatures. Political parties, party leadership, parliamentary committees and governance*, „The Journal of Legislative Studies", vol. 9, nr 4, 2003.

Heidar K., *The polymorphic nature of party membership*, „European Journal of Political Research", vol. 25, nr 1, 2006.

Helms L., *Parliamentary party groups and their parties: A comparative assessment*, „The Journal of Legislative Studies", nr 6, 2000.

Herbut R., *Teoria i praktyka funkcjonowania partii politycznych*, Wydawnictwo Uniwersytetu Wrocławskiego, Wrocław 2002.

Herbut R., *Podziały socjopolityczne w Europie Zachodniej. Charakter i struktura*, w: A. Antoszewski, R. Herbut, *Demokracje zachodnio-*

europejskie. Analiza porównawcza, Wydawnictwo Uniwersytetu Wrocławskiego, Wrocław 2008.

Hirschfield S., Swanson B.E., Blank B.D., *A profile of political activists in Manhattan*, „Western Political Quarterly", vol. 15, nr 3, 1962.

Jungerstam-Mulders S., *Post-Communist European Union Member States, Parties and Party Systems*, Ashgate, Aldershot 2006.

Katz R.S., Mair P. i in., *The membership of political parties in European democracies, 1960–1990*, „European Journal of Political Research", vol. 22, nr 3, 1992.

Katz R.S., Mair P., *The evolution of party organizations in Europe: The three faces of party organization*, „American Review of Politics", vol. 14, 1993.

Katz R.S., Mair P. (red.), *How Parties Organize: Change and Adaptation in Party Organizations in Western Democracies*, Sage Publications, London 1994.

Katz R.S., Mair P., *Changing models of party organization and party democracy*, „Party Politics", vol. 1, nr 1, 1995.

Katz R.S., Mair P., *Cadre, Catch-All or Cartel?: A Rejoinder*, „Party Politics", vol. 2, nr 4, 1996.

Kitschelt H., *The Logics of Party Formation: Ecological Politics in Belgium and West Germany*, Cornell University Press, 1989.

Kitschelt H., Mansfeldova Z., Markowski R., Toka G., *Post-Communist Party Systems: Competition, Representation and Inter-Party Cooperation*, Cambridge University Press, 1999.

Koole R., *Cadre, catch-all or cartel? A comment on the notion of cartel party*, „Party Politics", nr 1, 1995.

Kopecek L. (red.), *Trajectories of the Left, Social Democratic and (Ex-) Communist Parties in Contemporary Europe: Between Past and Future*, Democracy and Culture Studies Centre, Brno 2005.

Kopecky P., *Developing party organizations in East-Central Europe. What type of party is likely to emerge?*, „Party Politics", vol. 1, nr 4, 1995.

Kościół – religia – aborcja – in vitro, raport z badań, Warszawa 2009, maszynopis powielany.

Krichheimer O., *The transformation of Western European party system*, w: J. LaPalombara, M. Weiner (red.), *Political Parties and Political Development*, Princeton University Press, New York 1966.

Krytyki Politycznej przewodnik lewicy. Idee, daty i fakty, pytania i odpowiedzi, Stowarzyszenie im. S. Brzozowskiego, Warszawa 2007.

Lawson K., Rommele A., Karasimeonov A. (red.), *Cleavages, Parties, and Voters. Studies from Bulgaria, the Czech Republic, Hungary, Poland and Romania*, Praerger Publishers, Westport 1999.

Lewis P., *Party structure and organization in East-Central Europe*, Edward Elgar, Cheltenham 1996.

Lewis P., *The "Third Wave" of democracy in Eastern Europe: Comparative perspectives on party roles and political development*, „Party Politics", vol. 7, nr 5, 2001.

Lewis P.G., *Political Parties in Post-communist Eastern Europe*, Routledge, London 2000.

Lipset S.M., *Homo politicus: społeczne podstawy polityki*, przeł. G. Dziurdzik-Kraśniewska, Wydawnictwo Naukowe PWN, Warszawa 1998.

Luther K., Muller-Rommel F., *Political Parties in the New Europe, Political and Analytical Challenges*, Oxford University Press, Oxford, New York 2002.

Mair P., van Biezen I., *Party membership in twenty European democracies. 1980–2000*, „Party Politics", vol. 7, 2001.

Mair P., *Democracy Beyond Parties*, Center for the Study of Democracy, University of California, Irvine 2005.

Mały Rocznik Statystyczny Polska 2009, GUS, Warszawa.

Manin B., *Principes du gouvernement representatif*, Calmann-Lévy, Paris 1995

Marvick D., *Les cadres des partis politiques en Allemagne*, „Revue française de sociologie", numer specjalny 7, 1966.

Mazzoleni G., Schulz W., *„Mediatization" of politics: A challenge for democracy?*, „Political Communication", vol. 16, nr 3, 1999.

Mc Nair B., *An introduction to political communication*, Routledge, 2007.

Middel B.P., Van Schuur W., *Dutch party delegates*, „Acta Politica", nr 16, 1981.

Mueller W.C., Strøm K., *Policy, Office or Votes; How Political Parties in Western Europe Make Hard Decisions*, Cambridge University Press, Cambridge 1999.

Nalewajko E., *Protopartia i protosystem. Szkic do obrazu polskiej wielopartyjności*, Instytut Studiów Politycznych PAN, Warszawa 1997.

Nalewajko E., *Powiatowe partie polityczne – trudna adaptacja*, w: J. Wasilewski (red.), *Powiatowa elita polityczna: rekrutacja, struktura, działanie*, Instytut Filozofii i Socjologii PAN, Warszawa 2006.

O etyce polityków, CBOS, komunikat z badań, marzec 1998.

Olson D., *Party system consolidation in new democracies of Central and Eastern Europe*, „Political Science", 1998.

Opinia społeczna o eutanazji, CBOS, komunikat z badań, październik 2009.

Opinie o działalności Kościoła, CBOS, komunikat z badań, marzec 2007.

Oppenheim A.N., *Kwestionariusze, wywiady, pomiary postaw*, Wydawnictwo Zysk i S-ka, Poznań 2004.

Ostrowski K., *The decline of power and its effects on democratization: The case of the Polish United Workers Party*, w: Institute for East-West

Security Studies (i in.), *Eastern Europe and Democracy: The Case of Poland*, Westview Press, Boulder 1990.

Panebianco A., *Political Parties: Organization and Power*, Cambridge University Press, Cambridge 1988.

Party activists in comparative perspective, „International Political Science Review", nr 4, vol. 1, 1983.

Platone F., Subileau F., *Les militants communistes à Paris. Quelques données sociologiques*, „Revue française de science politique", vol. 25, nr 5, 1975.

Prawa gejów i lesbijek, CBOS, komunikat z badań, czerwiec 2008.

Preda C., *Partide şi alegeri în România post-comunistă: 1989–2004*, Nemira, Bucarest 2005.

Przynależność do związków zawodowych, CBOS, komunikat z badań, luty 2008, BS/21/2008.

Putnam R., *Making Democracy Work: Civic Traditions in Modern Italy*, Princeton University Press, Princeton 1993.

Rapoport R.B., Abramowitz A.I., McGlennon J. (red.), *The Life of Parties: Activists in Presidential Politics*, University of Kentucky Press, Kentucky 1986.

Reif K., Cayrol R., Niedermayer O., *National political parties' middle level elites and European integration*, „European Journal of Political Research", vol. 8, nr 1, 1980.

Religia w systemie edukacji, CBOS, komunikat z badań, wrzesień 2008.

Riishøj S., *Transition, consolidation and development of parties and party systems in Central Europe 1989–2009*, „Politologiske Skrifter", nr 21, 2009.

Rocznik Statystyczny GUS 2009, dane za 2008 r.

Rose R., Munro N., *Elections and Parties in New European Democracies*, CQ Press, Washington 2003.

Rove K., *Courage and Consequence: My Life as a Conservative in the Fight*, Threshold Editions, 2010.

Saglie V., Heidar K., *Democracy within Norwegian political parties*, „Party Politics", vol. 10, nr 4, 2004.

Salisbury R.H., *The urban party organization member*, „Public Opinion Quarterly", vol. 29, 1965.

Sartori G., *Concept misformation in comparative politics*, „The American Political Science Review", vol. 64, nr 4, 1970.

Sartori G., *Homo videns. Telewizja i postmyślenie*, przeł. J. Uszyński, Wydawnictwo Uniwersytetu Warszawskiego, Warszawa 2007.

Schumpeter J.A., *Kapitalizm, socjalizm, demokracja*, Polskie Wydawnictwo Naukowe, Warszawa 1995.

Selle P., Svåsand L., *Membership in party organizations and the problem of decline of parties*, „Comparative Political Studies", vol. 23, nr 4, 1991.

Simon J., *The political Left and Right – what it means in the post-communist countries and Hungary*, w: R. Markowski, E. Wnuk-Lipiński (red.), *Transformative Paths in Central and Eastern Europe*, Instytut Studiów Politycznych PAN, Warszawa 2001.

Skiba L., *The people, the programme and the governments of the Democratic Left Alliance (SLD)*, w: L. Kopecek (red.), *Trajectories of the Left, Social Democratic and (Ex-)Communist Parties in Contemporary Europe: Between Past and Future*, Democracy and Culture Studies Centre, Brno 2005, s. 126.

Smolar A., *Kryzys partii politycznych czy kryzys polityki*, „Res Publica Nowa", vol. 17, nr 4, 2004.

Sobolewska-Myślik K., *Partie i systemy partyjne Europy Środkowej po 1989 roku*, Księgarnia Akademicka, Kraków 1999.

Sobolewska-Myślik K., Kosowska-Gąsoł B., Borowiec P., *Przywództwo w polskich partiach politycznych w świetle analizy struktury i charakteru naczelnych władz partyjnych*, w: J. Sielski, M. Czerwiński (red.), *Partie polityczne – przywództwo partyjne*, Wydawnictwo Adam Marszałek, Toruń 2008.

Sobolewska-Myślik K., Kosowska-Gąsoł B., Borowiec P., *Struktury organizacyjne polskich partii politycznych*, Wydawnictwo Uniwersytetu Jagiellońskiego, Kraków 2010.

Sokół W., Żmigrodzki M. (red.), *Współczesne partie i systemy partyjne: Zagadnienia teorii i praktyki politycznej*, Wydawnictwo Uniwersytetu Marii Curie-Skłodowskiej, Lublin 2005.

Społeczna aprobata i dezaprobata partii politycznych, CBOS, komunikat z badań, BS/137/2008.

Statut Sojuszu Lewicy Demokratycznej.

Statut Platformy Obywatelskiej.

Stern A.J., Tarrow S., Williams M.F., *Factions and opinion groups in European mass parties*, „Comparative politics", vol. 3, nr 4, 1971.

Stowarzyszeniowo-obywatelski kapitał społeczny, CBOS, komunikat z badań, wrzesień 2008, nr 3994.

Szacki J., *Liberalism After Communism*, Central European University Press, Budapest, London, New York 1995.

Szczerbiak A., *Old and new divisions in Polish politics: Polish parties' electoral strategies and bases of support*, „Europe-Asia Studies", vol. 55, nr 5, 2003.

Szostkiewicz A., *Geje: nie, eutanazja: czemu nie*, „Polityka", nr 36, 2009.

Tan A.C., *Party change and party membership decline: An exploratory analysis*, „Party Politics", vol. 3, nr 3, 1997.

Tworzecki H., *Parties and Politics in Post-1989 Poland*, Westview Press Boulder, Colorado 1996.

Tworzecki H., *Social democracy in East-Central Europe: Success by default*, w: E. Hargrove (red.), *The Future of the Democratic Left in Industrial Democracies*, The Pennsylvania State University Press, 2003.

Vachudova M., *Centre-right Parties and Political Outcomes in East Central Europe*, „Party Politics", vol. 14, nr 4, 2008.

Van Schuur W., *Constraints in European party activists' sympathy scores for interest groups. The left-right dimension as dominant structuring principle*, „European Journal of Political Research", vol. 3, nr 15, 1987.

Wade L., Lavelle P., Groth A., *Searching for voting patterns in post-communist Poland's Sejm elections*, „Communist and Post-Communist Studies", vol. 28, nr 4.

Wiara i religijność Polaków dwadzieścia lat po rozpoczęciu przemian ustrojowych, CBOS, komunikat z badań, marzec 2009.

Wojtaszczyk K.A., *Partie i ugrupowania polityczne*, w: R. Chruściak, T. Mołdawa, K.A. Wojtaszczyk, E. Zieliński (red.), *Polski system polityczny w okresie transformacji*, Elipsa, Warszawa 1995.

Wojtaszczyk K.A., *Poland, Government and Politics*, Dom Wydawniczy, Warszawa 1997.

Wojtaszczyk K.A., *Partie polityczne w państwie demokratycznym*, Wydawnictwa Szkolne i Pedagogiczne, Warszawa 1998.

Ysmal C., *L'univers politique des militans RPR*, „Pouvoir", nr 28, 1984.

Ysmal C., Cayrol R., *Militants socialistes: Le pouvoir use*, „Projet", nr 191, 1985.

Zaufanie społeczne w latach 2002–2008, CBOS, komunikat z badań, luty 2008.

Zielonka-Goei M.L., *Members marginalising themselves? Intra-party participation in the Netherlands*, „West European Politics", vol. 15, nr 2, 1992.

NOTY O AUTORACH

Jean-Michel DE WAELE – profesor nauk politycznych na Wolnym Uniwersytecie w Brukseli, współtwórca i wieloletni dyrektor Centrum Badań nad Życiem Politycznym (CEVIPOL), wykładowca Uniwersytetu w Bukareszcie, Nowego Uniwersytetu w Sofii, Instytutu Nauk Politycznych w Lille, Strasburgu i Aix-en-Provence. Autor, redaktor lub współredaktor publikacji: *L'émergence des partis politiques en Europe centrale* (1999), *Partis politiques et démocratie en Europe centrale et orientale* (2002), *Les clivages politiques en Europe centrale et orientale* (2004), *Sport, politiques et sociétés en Europe centrale et orientale* (2005), *Les démocraties européennes* (2008, 2010), *Les partis agrariens et paysans en Europe* (2009), *Populizm w Europie – defekt i przejaw demokracji* (2010). Główne zainteresowania naukowe: Europa Środkowo-Wschodnia, relacje sportu i polityki.

Michał JACUŃSKI – doktor politologii, adiunkt w Instytucie Politologii Uniwersytetu Wrocławskiego, specjalizuje się w zagadnieniach komunikowania politycznego oraz badaniach empirycznych. Redagował i współtworzył „Central European Journal of Communication". Od ponad 10 lat konsultant i doradca polskich polityków i partii politycznych.

Maïté LEROY – doktorantka nauk politycznych na Wolnym Uniwersytecie w Brukseli, członkini Centrum Badań nad Życiem Politycznym (CEVIPOL). Przygotowuje pracę doktorską na temat partii socjaldemokratycznych w Europie Środkowo-Wschodniej. Zainteresowania badawcze: socjaldemokracja, partycypacja polityczna, socjologia wyborcza, ideologie polityczne.

Anna PACZEŚNIAK – doktor politologii, adiunkt w Instytucie Politologii Uniwersytetu Wrocławskiego, współpracownik naukowy Centrum Badań nad Życiem Politycznym (CEVIPOL) Wolnego Uniwersytetu w Brukseli. Autorka, redaktorka lub współredaktorka publikacji: *Kobiety w Parlamencie Europejskim. Przełamywanie stereotypu płci w polityce* (2006), *Równość w Unii Europejskiej – teoria i praktyka* (2008), *Płeć w społeczeństwie, ekonomii i polityce* (2009), *Podstawy europeistyki. Podręcznik akademicki* (2009), *Populizm w Europie – defekt i przejaw demokracji* (2010), *Europeizacja – mechanizmy, wymiary, efekty* (2010). Główne zainteresowania naukowo-badawcze: europeizacja partii politycznych w Europie Środkowo-Wschodniej, kobiety w polityce.